De beste schrijver van Nederland

Eerder verschenen van Ronald Giphart:

Ik ook van jou
Roman
ISBN 90 388 2709 1, Amsterdam: Nijgh & Van Ditmar, 1992.

Giph
Roman
ISBN 90 388 2710 5, Amsterdam: Nijgh & Van ditmar, 1993.

Het feest der liefde
Verhalen
ISBN 90 5018 282 8, Amsterdam: Uitgeverij Balans, 1995.

Eerder verscheen van Bert Natter:

Over Hebban olla vogala en Connie Palmen
PochPocket Nederlandse Literatuur
ISBN 90 6481 205 5, Utrecht: Kwadraat, 1994.

Onder pseudoniem schreven Ronald Giphart, Eric de Koning
en Bert Natter:

Arnold Hitgrap, Coen Reidingk en Brett Tanner
*Kwadraats Groot Literair Lees Kijk Knutsel en Doe Vakantie-
boek*
Roman
ISBN 90 6481 182 2, Utrecht: Kwadraat, 1993.

Ronald Giphart & Bert Natter

De beste schrijver van Nederland

Roman

Kwadraat – Utrecht 1995

ISBN 90 6481 236 5
NUGI 300

Eerste druk juni 1995
Tweede druk juli 1995

Deze roman werd (in gewijzigde vorm en zonder het schrijvers-
lexicon) eerder als feuilleton gepubliceerd in: *Kwadraats Groot
Literair Lees Kijk Knutsel en Doe Vakantieboek*, 1993.

INHOUD

In 1993 schreven wij, onder het pseudoniem Arnold Hitgrap en Brett Tanner en in samenwerking met Coen Reidingk (pseudoniem van de talentvolle tekenaar Eric de Koning), *Kwadraats Groot Literair Lees Kijk Knutsel en Doe Vakantieboek*, dat bedoeld was als een persiflage op de aloude zomerboeken uit ieders kindertijd. Tevens streefden we ernaar een beetje te dollen met de heiligheid die kleeft aan literatuur. De opvallendste grollen waren het aankleedpopje van Maarten 't Hart (tekening 1: Maarten in zijn Wibra-onderbroek, tekening 2: Maarten 't Hart zakelijk maar sportief, enzovoorts), een borduurpatroon van het conterfeitsel van W.F. Hermans, en een masker van Harry Mulisch (met gaatje voor de pijp). Het geheel werd aangevuld met vele puzzels, doldwaze kwissen, maffe nummertekeningen, ingewikkelde doolhoven, creatieve cursussen en vuige roddels. Godallemachtig, wat waren wij grappig in die dagen! Het was overigens ook nog eens het eerste boek uit de wereldliteratuur waarbij de koper een gratis T-shirt kreeg.

Uiteraard is de uitgever er veel aan gelegen dit boek zijn cultstatus te laten behouden (en niet het risico te lopen het nogmaals te moeten verramsjen). Vreemd genoeg blijft er echter veel vraag naar het boek en daarom heeft de uitgever het nodig en zinvol geacht het 21-delige feuilleton *De beste schrijver van Nederland* uit *Kwadraats Groot Literair Lees Kijk Knutsel en Doe Vakantieboek* als zelfstandige roman uit te geven. Hij heeft ons gesmeekt, met enorme sommen gelds zwaaiend, het hele verhaal te herzien en uit te breiden, zodat ook mensen die het vakantieboek al jaren op hun nachtkastje hebben liggen, zich verplicht voelen dit uittreksel ook te kopen (kassa!).

Wij zijn de beroerdsten niet en daarom hebben wij enkele van de flauwe grappen vervangen door andere flauwe grappen. Bovendien hebben we achterin het boek een lexicon gemaakt waarin we een korte bio- en bibliografische schets geven van alle in het verhaal voorkomende auteurs.

Sinds die heerlijke en onvergetelijke zomer van 1993 is er natuurlijk wel het nodige veranderd in de Nederlandse literatuur. Zo moesten wij afscheid nemen van Annie M.G. Schmidt en W.F. Hermans, twee belangrijke personages uit *De beste schrijver van Nederland.* We hebben besloten hun karakters te handhaven, omdat wij van het begin af aan hebben gedacht dat ons gekscherende verhaal toch ook een eerbetoon moest zijn aan de literatuur zoals die was op het moment van schrijven.

Uiteraard zijn er in de literatuur ook kleine dingen veranderd. Dingen die hun weerslag evenmin vinden in deze tweede versie van *De beste schrijver van Nederland*: Atte Jongstra draagt geen bril meer, Adriaan Venema heeft in de hemel vast kunnen stellen dat ook God fout was in de oorlog, en Lévi Weemoedt is van Vlaardingen naar Assen verhuisd.

Een korte telefonische enquête onder ministers van Cultuur en eminente critici in de boekproducerende landen leerde ons dat een boek als *De beste schrijver van …* in geen enkele andere literatuur ter wereld te vinden is. Aanstonds gaat u dus iets unieks lezen. Wij houden u niet langer op.

Utrecht, mei 1995
Ronald Giphart
Bert Natter

Opeens lag hij er, in de portiersloge van het Schrijvershuis van het Fonds voor de Letteren in Amsterdam: een grote gouden appel. Er zat een briefje aan. Verbaasd sleepte schrijver en bestuurslid van het Fonds voor de Letteren Louis Ferron zijn racefiets het pand binnen. Hij keek op het papiertje aan de Appel.

'*Vjir die bjeste scriver vån Jølland,*' las hij in vloeiend Zweeds.

'Zeg nou zelf, is dit ontroerend?' bedacht Louis en hij probeerde de enorme Appel onder zijn snelbinder vast te zetten. Op dat moment kwam Ferrons vriend en medebestuurslid, de schrijver H.C. ten Berge het Schrijvershuis binnen.

'Kijk eens, Hachee, wat ik net heb gekregen,' zei Ferron trots, 'een aardigheidje van een fan.'

'Wat?' vroeg Ten Berge, zijn witte muts en de hoofdtelefoon van zijn walkman afzettend.

'Een aardigheidje van een fan,' zei Ferron nog een keer. Hij sloeg als het mannetje uit de Fruitella-reclame achteloos op de Appel. Tap tap tap.

'EEN AARDIGHEIDJE?!' bulderde Ten Berge met niet zo'n opgewekt humeur. 'Een gouden appel zul je bedoelen!' Nu zag ook hij het briefje. 'Wie zegt eigenlijk dat jíj die *bjeste scriver vån Jølland* bent?' vroeg hij in al even vloeiend Zweeds. 'Daar zouden we dan toch eerst eens met de commissies over moeten vergaderen.'

Ferron vestigde een staalharde blik op zijn vriend en verdween zwijgend in de bestuurskamer.

Vergaderd werd er, de dagen daarop. H.C. ten Berge en Louis Ferron kwamen er met de rest van de bestuursleden, on-

9

der wie zich ook de schrijvers Kester Freriks en Tessa de Loo bevonden, niet uit voor wie de Appel nu eigenlijk bedoeld was. Iedereen vond zichzelf met afstand de geschiktste kandidaat. De altijd praktische Tessa de Loo stelde daarom voor de Appel dan maar in vier gelijke partjes te delen. Inmiddels had men de Appel laten taxeren. De taxateur schatte de waarde op ƒ 5.262.300,–.

Na uren van gesoebat en geredetwist besloot men de Appel tijdens een Grote Wedstrijd uit te reiken aan de winnaar: de beste schrijver van Nederland.

En zo geschiedde het dat alle Nederlandse en Vlaamse schrijvers een uitnodiging kregen om zich op de eerste dag van de zomer te vervoegen bij het tot Scrivershuus omgedoopte Noordgroningse kasteel d'Hoeg'n Bierg op het landgoed De Wiede Velden.

'Daar komt toch geen hond naar toe!' liet Kester Freriks uit de notulen van een bestuursvergadering schrappen.

'En dan maken wij onderling wel uit wie er met die goudrenet naar huis gaat,' besloot Tessa de Loo.

Inmiddels gonsde het van geruchten in literair Nederland. De taxateur had aan zijn verre neef Leon de Winter verteld van een ongelooflijke, appelvormige schat die zich bij het Fonds voor de Letteren zou bevinden. Toen Leon de Winter de uitnodiging voor de Grote Wedstrijd uit de prullenbak had gevist, legde hij met de voor hem zo typerende scherpzinnigheid het verband tussen de schat en de in de uitnodiging genoemde hoofdprijs van 'een appel en een ei.' In een dronken bui vertelde De Winter zijn conclusie in het roemruchte café Schiller op het Rembrandtsplein aan de langzamerhand tot levende barkruk verworden schrijver A.F.Th. van der Heijden, die dit in de roemrufte tapperij De Zwart aan het Spui doorvertelde aan de gaandeweg wandelend delirium te noemen schrijver P.F. Thomése, waarop na een paar uur de vaste klandizie van De Zwart het wist, dat wil zeggen: alle Nederlandse schrijvers.

De organisatoren van de Grote Wedstrijd hadden zich dan ook lelijk vergist, toen zij ervan uitgingen dat zij de enige deelnemers waren. Op het kasteel d'Hoeg'n Bierg stonden zij in het torenkamertje lichtelijk nerveus op de uitkijk. De inderhaast geformeerde jury – bestaande uit de bevriende critici Carel Peeters, Jaap Goedegebuure, Kees Fens en Tom van Deel – was bezig op de landerijen het parcours voor de triatlon uit te zetten.

De eerste schrijver die de oprijlaan van het landgoed op kwam fietsen was de bezwete dagboekauteur Hans Warren. Het voltallige bestuur snelde de trappen af om Warren een warm welkom te heten.

'Helemaal uit Kloetinge in Zeeland komen fietsen!' hijgde de oude bard. 'Wind tegen op de afsluitdijk, vandaar dat ik wat laat ben!'

De Zeeuwse schrijver stapte af en liet trots een speciaal op zijn fiets gemonteerd schrijftafeltje zien.

'Mooi hè? Zo kan ik onderweg toch nog een beetje op schema blijven met mijn dagboeken. Ik zit nu op deel 30c, het deel dat handelt over een heel belangrijke periode: die van 12 oktober 1984, vanaf een uur of vier, tot 19 oktober 1984, tien over vijf. Waarom is dat zo'n belangrijke periode voor me, vragen jullie je natuurlijk af. Welnu, vanaf die tijd was mijn dagboek bijhouden een dagtaak geworden. Maar dat lezen jullie nog wel in mijn annalen.'

Verward staarde het ontvangstcomité hem aan (vooral Kester Freriks).

'Maar nu ga ik weer verder, enne…' vervolgde hij fluisterend, zijn wijsvinger op zijn lippen leggend, 'ssst… mondje dicht. Mijn dagboeken zijn *geheim*.'

Hans Warren vonden de schrijvers van de organisatie (volkomen onterecht) geen bedreiging voor hun Grote Prijs. Hun stemming sloeg echter om, toen zij in de verte een bonte stoet schrijvers zagen naderen. Met busladingen werden ze aangevoerd. Iedereen kwam er aan, Amsterdam werd langzaam maar zeker een spookstad.

Als betrof het een door het Pentagon geleide Operatie Appelstorm, reden de honderden personenauto's en de tientallen autobussen in formatie het landgoed op. De Citroën DS van AKO-prijswinnaar Geerten Meijsing voerde toeterend de stoet aan, want er viel tenslotte weer wat te halen. Als een symbiose tussen een parkeerwachter en Generaal Schwartzkopf leidde door het open dak van Meijsings DS een bezonnebrilde

Joost Zwagerman met wilde handgebaren het schrijverskonvooi. Zoals gezegd: Iedereen was erbij, behalve Cees Nooteboom want die zat vanwege de regen vast op het vliegveld van Nairobi. Enigszins beteuterd zagen de bestuursleden en gedoodverfde winnaars de stoet tot stilstand komen.

'Ja... maar... dit was niet de bedoeling, sufferds!' siste Louis Ferron zijn medebestuursleden toe. 'Iemand heeft gepraat, en ik ben het niet geweest.'

Kester Freriks wierp zich zachtjes huilend in de moederlijke armen van Tessa de Loo. De haren rezen H.C. ten Berge.

Het gemor onder de met hun uitnodigingen wapperende schrijvers werd luider en luider, toen bleek dat er op zoveel animo niet was gerekend.

'Had dan ook even de antwoordstrookjes ingestuurd,' piepte Kester Freriks nog, maar collega-schrijver Harry Mulisch overdonderde hem, wijzend op het kasteel d'Hoeg'n Bierg, met de monoloog: 'Moeten we met z'n allen in dat kleine rotkasteeltje pitten? Of verwachten jullie van ons dat we onder de blote hemel gaan liggen? Vroeger – toen ik mijn dikke darm nog had – reed ik in een sportwagen en woonde ik in een veel groter kasteel. Nu ga ik echter met de tram en met de ouderenbus, daar schaam ik me dus niet voor, maar dat impliceert nog niet dat ik nu genoegen neem met een plaats tussen de runderen.' De enige die zich hierdoor aangesproken voelde, was Jacq Firmin Vogelaar.

De jury van de Grote Wedstrijd wierp zich uiteindelijk op als kampleiding. De vier critici besloten de tuin van het kasteel in te richten als camping. Met Hollandse slagvaardigheid werd in een naburig dorp een grote partij afgekeurde tweepersoons PTT-tentjes op de kop getikt en in het halfvergane koetshuis van het eeuwenoude slot werd een trog neergezet en liet men wat gaten graven, zodat deze ruimte kon dienen als washok en latrine. De kampleiders Tom van Deel en Carel Peeters bogen zich, geholpen door interpretatieschemata en genre-analyses over een veldindeling (door hen steevast tentrepertorium genoemd), terwijl de schrijvers vrolijk fluitend en elkaar uitgelaten achterna joelend de tenten gingen opzetten. Inmiddels opende Tessa de Loo in de keuken van het kasteel de onvermijdelijke kampwinkel, en werd de salon ingericht als kantine. Toen de tenten eendrachtig waren opgezet, blies Jaap Goedegebuure op zijn fluit. Iedereen verzamelde zich voor het bordes. Het eerste gevecht, het gevecht wie er met wie een tent ging delen, kon beginnen...

Eigenlijk was het maar een ongecontroleerde bende, dat zooitje schrijvers dat van hun zolderkamertjes was gerukt. Iedereen liep schreeuwend door elkaar, op zoek naar een geschikte tent-*mate*. Er vielen kreten te beluisteren als: 'Met hem ga ik nooit in één tent!' (Gerrit Komrij over Gerrit Kouwenaar), 'Ja maar, hij was fout in de oorlog!' (Adriaan Venema over iedere schrijver ouder dan vijftig), 'Wie wil er met mij hij? *Gezel*lig!' (Marijke Höweler), 'Jongens, niet allemaal tegelijk!' (Marion Bloem), 'Drugs and dames! Drugs and dames!' (Joost Zwagerman), 'Wil er echt niemand met mij hij? *Gezel*lig!' (Marijke Höweler), 'Ja maar, die schrijft hermetische poëzie en daar word ik zo depressief van!' (Hans Dorrestijn over Wiel Kusters) 'Zullen wij de slaapzakken aan elkaar ritsen?' (Adriaan Morriën tegen Annie M.G. Schmidt) en 'Wil er dan echt helemaal niemand met mij hij? *Gezel*lig!' (Marijke Höweler).

Er ontstond zelfs een fikse discussie tussen Jan Cremer en een van de kampleiders, Kees Fens.

'Luister Pik,' begon Jan Cremer, met de van hem zo bekende fijngevoeligheid, 'ik weet dat ik jou niet tot mijn fans kan rekenen, maar ik wil wel een groupie in mijn tent, als je begrijpt wat ik bedoel. Ik wil een wijf, een lekker wijf dat ik alle hoeken van mijn tent kan laten zien, voel je hem? Lekker een wijf dat ik kan laten tollen op mijn tentstok. Begrijp je, Pik?'

'Eh... interessante metafoor,' stelde Fens moeilijk knikkend vast, 'maar ik heb toch wat voor je geregeld?'

'O, noem jij dat regelen, Pik? Je dacht toch niet dat ik met zo'n gemankeerde nuf als Maartje 't Hart in één tent ging leggen bonken? Ik wil geen Maartjes, ik wil geen Stoutes, ik wil geen Heeres, ik wil geen Mensjes, ik wil een wijf! Ik, Jan Cremer, wil een wijf. Moet ik het voor je spellen, Pik? Ik wil een wee ei vee. Een wijf.'

Hun ruzie ging verloren in het overige strijdgewoel, dat nog enkele uren voortduurde. Tegen het vallen van de avond was ieder tentje dichtgeritst en lagen alle schrijvers onder zeil.

Alle schrijvers?

Nee.

Als je goed keek, zag je voor het kasteel één klein schrijvertje zitten. En als je heel goed luisterde, hoorde je het vallen van zijn tranen op het marmer van het bordes.

'Wat is er, joh?' vroeg Tom van Deel, een van de kampleiders, zich ontfermend over het zielige schrijvertje.

'Niemand houdt van me...' snikte het mannetje, 'al zolang ik versjes maak, heb ik geen meisje, dat weet jij net zo goed als ik. Altijd maar alleen... Alle schrijvers liggen gezellig met elkaar in de tent, en ik mag nergens bijhoren. Het is gemeen.' Hij begon hartverscheurend te huilen.

'Wil er niemand met je in de tent? Is dat het, Leev?' vroeg Van Deel vaderlijk.

Lévi Weemoedt snikte en haalde z'n schouders op.

'Zullen we samen iemand voor je zoeken?' zei Van Deel troostend, en hij trok het aandoenlijke schrijvertje mee het tentveld op. Het was lang zoeken, maar na enige tijd vonden ze een tent waarin iemand zachtjes lag te snikken: 'Wil er dan echt helemaal helemaal niemand met mijhij in de tent? *Geze*llig?'

'Zeg het maar, Lévi,' zei Van Deel, 'zeg maar: "Ja graag, ik wil met jou in de tent!"'

'Tom, doe niet zo stom,' zei Weemoedt, 'dat krijg ik toch mijn strot niet uit?'

'Joehoe, is daar iemand?' zong het hoopvol uit de tent.

'JAA!' riep Tom van Deel, die vliegensvlug de tent openritste en zelf snel wegrende. Daar stond hij dan, Vlaardingens Welvaren: op zijn slippers, met zijn handen in zijn zak, onwetend Tom van Deel na te staren. Een fractie van een seconde later lag hij, met alleen zijn brilletje nog op, in Marijke Höwelers tent.

'*Geze*llig!' hijgde Höweler.

In de andere tenten werd het snel rustig, want iedereen maakte zich op voor de strijd die de dag daarna zou losbarsten. In het kasteel echter bleef het licht nog branden: de ene vleugel werd gebruikt voor een vergadering van de kampleiding over de spelregels, de andere vleugel was gereserveerd voor het bestuur van het Fonds voor de Letteren, dat probeerde de handen ineen te slaan om de Appel gevieren te veroveren. En pas toen deze acht nachtbrakers uitgeput en toch onrustig hun bedstee opzochten, werd de wijnkelder het decor van een geheimzinnige bijeenkomst...

Nog voor de haan van kasteel d'Hoeg'n Bierg ook maar had kunnen bedenken te gaan kraaien, was hem door Cro-Magnonmens Jan Wolkers al de nek omgedraaid. Het beestje gaf met spartelende bewegingen blijk van enig ongenoegen, maar even later draaide het vrolijk rond aan een spies boven een vuurtje. Tevreden stond Wolkers erbij te brommen. Vroege Vogel Ivo de Wijs, die de tenten langsging om mensen aan te sporen met hem te dauwtrappelen, zag Wolkers en het ronddraaiende vogeltje ontzet aan. Hij wilde dit dierenleed direct op rijm aan de kaak stellen, maar Wolkers voelde, door middel van een zintuig dat de geëvolueerde mens al lang niet meer bezit, dat De Wijs achter hem stond. Grommend draaide hij zich om en richtte zijn speer naar De Wijs, die verschrikt zijn limerick inslikte.

Doordat de haan verstek liet gaan, kwam van de schrijvers, wier enig ritme normaal gesproken de sluitingstijd van de kroegen was, slechts de helft op het ochtendappel.

'Goeweeeeejooooooo atsj!' schreeuwde kampleider Tom van Deel, zich zijn diensttijd herinnerend, naar het groepje schrijvers dat zich voor het bordes had verzameld. Nadat alle slaapkoppen door de bezigste bijtjes van de klas, de schrijvertjes Bril & Van Weelden, van hun luchtbedden waren gelicht (niet alle: Cees Nooteboom zat vanwege bloederige rellen vast op het vliegveld van New Delhi), begon Van Deel met zijn ochtendtoespraak.

'Manne! Vandaag is het een belangrijke dag! Vandaag gaan we beginnen met de Grote Wedstrijd. We hebben verschillende onderdelen voor jullie uitgedacht, variërend van de Hemingway-stormbaan tot de Grote Annie M.G. Schmidt Pim

Pam van de Petteflat-Competitie.'

Gelaten hoorden de schrijvers dit aan.

'Kunnen we niet eerst ontbijten?' vroeg de schrijver A.F.Th. van der Heijden, 'ik kan mijn dag niet beginnen zonder een glaasje verse jus.'

En hij voegde er hinnikend aan toe, een beetje schuldig lachend in de richting van generatiegenoot Remco Campert: 'Met een flesje Stolichnaya erbij natuurlijk.'

Veel schrijvers sloten zich bij de kreet van Van der Heijden aan en ze begonnen ritmisch te scanderen: 'Hon-ger. Hon-ger. Hon-ger.'

'Allez, allez,' riep Van Deel schoorvoetend, 'goed dan. Ga maar naar Mama Tess. Die heeft vast Grunkrenkoe* voor jullie klaarstaan.' Toen hij de gezellige groep schrijvers het kasteel zag binnenrennen, kwam zijn collega-criticus en kampleider Kees Fens naast hem staan. De mannen keken elkaar even aan. In beider ogen was een twinkeling van trots te zien.

'Het komt wel goed met die jongens,' zei Van Deel, 'het komt wel goed.'

'Ik bid nie vor brun'n bon'n!' riep de Fries/Nederlandse schrijver Atte 'Bartje' Jongstra nors, nadat hij door de christelijke succesdichters Nel Benschop en Huub Oosterhuis tot stilte voor het gebed was gemaand.

'Het zijn niet alleen bruinc bonen,' probeerde Nel Benschop, en ze voegde daar bijbelvast aan toe: 'En gij, neem tarwe, gerst, bonen, linzen, gierst, en spelt, doe ze in een pot en maak er Grunkrenkoe van, *Ezechiël* vier gedeeld door negen.'

'Atte, het is ècht Grunkrenkoe,' beet Tessa de Loo het recalcitrante schrijvertje toe, 'daar heb ik gisteren de hele avond voor in de keuken gestaan.'

'Ik bid nie vor Grunkrenkoe,' zei Artje Jongstra dwars, als enige, want vrijwel alle schrijvers deden zich met het oog op de naderende strijd te goed aan dit eetbare beton.

Het was opvallend dat er – net als buiten op het veld –

---

* Hiermee doelde Tom van Deel op de Groningse krentenkoek, een plaatselijke specialiteit in het Hoge Noorden. Grunkrenkoe wordt uitgesproken met het accent op de middelste lettergreep: Grunkrènkoe.

ook in de kantine sprake was van een driedeling. Er was het kamp Mulisch, het kamp Hermans en het Kamp Reve. De grote *padres* uit de Nederlandse literatuur zaten met hun zonnebril op in zwarte pakken aan grote tafels, en hun soldaatjes en paladijnen hingen om hen heen. Een padre hoefde maar met zijn vingers te knippen of een van de knechtjes stond al klaar om bijvoorbeeld boter op de Grunkrenkoe te smeren. Met blote handen, uiteraard. Ook waren er af en toe schermutselingen tussen de verschillende tafels, maar meestal bleven deze beperkt tot het werpen van etenswaren en het maken van lange neuzen. Hoe de verschillende kampen ontstaan waren, wist niemand, en waarom de drie *godfathers* zo'n uitgesproken hekel aan elkaar hadden, was evenmin duidelijk. Het was een gegeven en elke schrijver diende er mee te leren leven. Een schrijver kon eenvoudigweg niet tot twee kampen behoren: hij was òf Mulisch, òf Revistisch, òf Hermansiaan. Er was geen tussenweg. Nou ja, een enkeling behoorde tot geen enkel kamp, zoals Gerrit Komrij, die zielig alleen in het kinderzitje een beetje autistisch om zich heen zat te kijken. Af en toe werd hem gevraagd of hij op wilde houden met boeren, maar dan bleek dat hij gewoon Duitse romantische dichters aan het citeren was.

Later die ochtend werd het een drukte van jewelste bij de latrine. De Grunkrenkoe was velen, van wie de tere maagjes slechts gewend waren aan een licht ontbijt van zeer oude jenever, het verkeerde keelgat uitgespoten. Zoals de Opperlandse letterkundige Hugo Brandt 'Hallow Oppers!' Corstius het treffend wist te verwoorden: 'Het sp... de sp... de sp...*' Alleen Anton Korteweg, de conservator van het Letterkundig Museum, stond handenwringend naar de rij te kijken, blij met de uitbreiding van zijn collectie.

'Zeg, Kees, weet je zeker dat die touwbrug veilig is?' fluisterde criticus Tom van Deel bezorgd tegen zijn Nijmeegse evenknie Kees Fens.

'Natuurlijk, maak je geen zorgen. *Everything has been taken care of...*' zei Fens. Tom van Deel hield zijn twijfels, maar kon niet verder vragen, omdat de schrijvers arriveerden.

---

* Opperlands voor: 'Het spuit de loopgaten uit.'

'Mag ik weten waarom wij deze Hemingway-stormbaan moeten nemen?' vroeg schrijfster Doeschka Meijsing aan de kampleiding. 'Het gaat er toch om wie de beste schrijver is, en niet wie de beste stormbaannemer? We zijn toch geen mariniers?'

'Doeschkabinetje, Doeschkabinetje, wat ben je toch een gekke meid,' antwoordde Carel Peeters geduldig, 'luister, schrijver zijn betekent niet dat je af en toe ereis een boekje bij elkaar lepelt, of een columnpje volbazelt, een gedichtenbundeltje uit je neusje pulkt, nee nee nee. Schrijver bèn je, met heel je existentie, en heel je wezen. Ook op een stormbaan ben je een schrijver. Denk aan Leonardo da Vinci, een ware womo oenivasalis, een volledige mens, die helikoptertjes en parachuutjes ontwierp terwijl God nog gewoon bestond, die af en toe een schilderijtje maakte, dan weer eens een stukje schreef, en jawel een enkel stormbaantje pikte; een schrijver, kortom.'

'Nou, ik begrijp er geen reet van,' zei Doeschka Meijsing weerbarstig, maar ze trok gedwee haar sportschoenen aan.

'De richttijd die ik jullie geef is die op 1 januari 1889 door Friedrich Nietzsche in een krankzinnige bui op de besneeuwde baan van Garmisch-Partenkirchen is neergezet: drie minuut zeventien en twaalf honderdste. En denk eraan, beste schrijvers, het gaat om een appel en een ei,' besloot Carel Peeters. In het gezelschap zochten en vonden een paar ogen elkaar...

De schuimbekkende Martin Ros (zoals Homerus hem altijd noemde) stelde zich op aan de rand van de stormbaan en versloeg de bloederige strijd voor de rest van het kamp. Zijn dragende, wilde stem bereikte door de aan palen opgehangen luidsprekers het hele landgoed: 'En daar zie ik, ja! het is haar... het is haar... de Blinde Koninggggginnnn van het Kinderboek blijkt nu ook... wie had dat kunnen denken... blijkt nu ook... zo zie je maar weer dat nooit iets gaat zoals je denkt dat het gaat... blijkt nu ook... net als de Kooooooning van West-Falen, Jérôme Bonaparte (1784 – 1860), de man die samen met de roemruchte onderwijshervormster Helen Parkhurst (1887 – 1973), en Jan Zonder Vrees, de aloude Hertog van Bourgondië (1372 – 1419), overigens dezelfde Jan Zonder

Vrees die als eerste de Alpe d'Huez schrijlings op een ezel gezeten wist te bedwingen... maar wat gebeurt daar, nee! dit is ongelooflijk, mensen, ook dit is topsport, dit is tragiek, de Blinde Koooninggginnn van het Kinderboek wordt hier ingehaald door de Blinde Marrrkiezinnnn van het Vers, geboren in Gorinchem op 11 mei 1905, en hier de leiding overnemend op deze stormbaan, de sympathieke dichteres van roemruchte regels als: "Toen hij het kleine plantje vond," en: "Boog hij aandachtig naar de grond," wat gebeurt hier, ook dit is topsport, Ida G.M. Gerhardt gaat over Annie M.G. Schmidt héén, echte heldinnen daaaaames en heren, echte heldinnen, maar... maar... waar is het peloton? Waar is het peloton? WAAR IS HET PELOTON?'

Op de keper beschouwd was dat eindelijk een zinnige opmerking van schuimbekkende Martin Ros (zoals Homerus hem altijd noemde). Inderdaad, waar was het peloton? En hoe zat het met die duikboot? En wat hadden de piranha's in de slotgracht ermee te maken? En de onkenbaarheid van de waarheid? En waren de twijfels van Tom van Deel terecht? Of niet?

Tip: Zet even een lekker kopje koffie, dan voert u zelf de spanning nog wat op.

In het vorige spannende hoofdstuk van *De beste schrijver van Nederland* zagen we hoe het peloton schrijvers op de Hemingway-stormbaan de aansluiting met 'grand old ladies' Annie M.G. Schmidt en Ida G.M. Gerhardt verloor, en uit het zicht verdween van sportverslaggever schuimbekkende Martin Ros (zoals Homerus hem altijd noemde). Waar was het peloton? vroegen we ons in het vorige hoofdstuk enigszins desperaat af. Nou, het peloton lag dus te waden in de slotgracht. Hoe zat het met die duikboot? Een duikboot in Groningen? Wat hadden de piranha's in de slotgracht ermee te maken? Goede vraag. Niets, helemaal niets! Piranha's in de slotgracht van kasteel d'Hoeg'n Bierg? Het idee! Maar... de onkenbaarheid van de waarheid, dat is toch wel belangrijk? En of dat belangrijk is, burps. En waren de twijfels van Tom van Deel terecht? Of niet? Ja, natuurlijk! Een dikke pluim voor Tom. De touwbrug had het peloton namelijk niet gehouden en de schrijvers moesten zwemmen voor hun leven, terwijl de kampleiding, zoals het de beste stuurlui betaamt, veilig aan wal stond.

Het kwam zelfs zover dat ze Jan Hollands Glorie de Hartog hoorden schreeuwen: 'IK KAN NIET ZWEMMEN! IK KAN NIET ZWEMMEN!'

'Nou en? *So what? Big deal*,' riep criticus Tom van Deel terug, 'ik kan niet tekenen, maar hoor je mij zo schreeuwen? Aansteller!'

Schuimbekkende Martin Ros (zoals Homerus hem altijd noemde) lag bijkans in een coma van zoveel consternatie. Gelukkig werd iedereen al vlug aan wal gehaald. Alleen het op de kant trekken van het abnormaal mooie Indische meisje

Marion Bloem had wat voeten in de aarde, omdat er een fikse vechtpartij ontstond tussen Officiële Oude Viezerik Adriaan Morriën en de keurig in het pak zittende schrijver Elly de Waard. Het was uiteindelijk de vroeg oudgeworden jonge God van de Nederlandse letteren, Joost Zwagerman, die Bloem met een simpele houdgreep wist te verlossen. In ruil daarvoor benoemde hij haar onmiddellijk tot Miss Wet T-shirt van de camping, een titeltje dat Marion nog uren later koesterde, zelfs nog toen haar T-shirt al lang niet meer aan haar tepels plakte. Schuimbekkende Martin Ros (zoals Homerus hem altijd noemde) was inmiddels in een dwangbuis afgevoerd naar het dichtstbijzijnde brandwondencentrum.

De jury (Tom van Deel, Carel Peeters, Kees Fens en Jaap Goedegebuure) stond voor een moeilijke taak: moest zij de snelheidsmonsters Ida General Motors Gerhardt en Annie Morris Garages Schmidt de eerste twee plaatsen toekennen en de derde plaats laten delen door de overige schrijvers, of moest zij (zoals Louis Ferron, H.C. ten Berge, Kester Freriks en Tessa de Loo – het bestuur van het Fonds voor de Letteren – voorstellen) dit onderdeel ongeldig laten verklaren? De jury besloot, na fysiek te zijn bedreigd door een dronken en met zijn handen wapperende Kester Freriks, wijselijk tot het laatste.

Om zich voor te kunnen bereiden op de volgende onderdelen kregen alle schrijvers (behalve Cees Nooteboom, want die zat vanwege een mogelijke besmetting met het ebolavirus in quarantaine op Kikwit CS) een paar uurtjes vrijaf, waarbij hun op het hart werd gedrukt wèl op het terrein te blijven.

Voor de tent van Yvonne Kroonenberg verzamelden zich Connie Palmen, Yvonne Keuls en Doeschka Meijsing. Bezweet en na veel gehannesmeinkema kwam Yvonne Kroonenberg bij hen zitten. 'Nou, dames, laat me jullie dit vertellen: alles went, behalve een tent,' zei ze en trok de rits achter zich dicht.

'Zo, nu we allemaal compleet zijn, kunnen we beginnen,' begon Doeschka Meijsing.

'Habtge 'nal nunne naom bedag?' vroeg Connie Palmen, nogal platonisch.

'Wat? Wat zegt ze?' vroeg Yvonne Keuls aan idem Kroonenberg.

'Nou, weet je, hè, weet je, ze vroeg dus ofge 'nal nunne naom habt bedag,' verduidelijkte Kroonenberg.

'Neuheu,' onderbrak Connie Palmen haar platonisch, 'dazzene vroech iknie! Ak vroech das ofge nal nunne naom habbe bedag.'

'Ah, Naa begraap ak ut: noffe nunnal nunne naome hadde bedag,' zei Keuls opgelucht.

'Gudde gademunne tonnie nahdoen nè?'

'Neu, neu, Connie, egnie!'

'Goed, meisjes,' besloot Doeschka Meijsing, 'het wordt tijd dat we spijkers met koppen gaan slaan. De naam die ik in mijn hoofd had, is *Doeschka and her Hotpants*. Wat vinden jullie ervan? Het wordt de hoogste tijd dat we de jongens,' ze wees om zich heen naar het in drie kampen verdeelde campingterrein, 'eens een beetje gaan opvrolijken met onze vrouwelijke charmes. *Okay girls, are you ready for it? Let's go in, and have some fun!*'

En gevieren verdwenen de toffe meiden in de tent van Yvonne Kroonenberg om daar te repeteren.

'Moet je die zien, met z'n dikke bierbuik,' zei dichter/schrijver Kaa Schippers gezellig tegen zijn gezworen, maar veel succesvollere vriend de schrijver/dichter Jee Bernlef (die een fortuin verdiende met de megahit *Hersenschimmen*). Ze zaten samen voor hun tent naar mensen te kijken.

'Wat?' vroeg Bernlef.

'Waar we het net over hadden. Dat we allebei zo'n hekel hebben aan al die onbeschaafde schrijvers hier op de camping.'

'Hadden we het daar over?' vroeg Bernlef verbaasd. 'Wat heb je trouwens een leuke trui aan, Kaa, is die nieuw?'

'Nieuw? Man, die heb ik al jaren,' zei Schippers geïrriteerd, 'nog gekregen van Pa Hoornik.'

'Van Pa Hoornik! Pa Hoornik! Horny Hoornik noemde we hem… Goh, Kaa, hoe zou het met die man gaan?'

'Hoe zou het met die man gaan? Vraag je dat echt? Jee, die man is al jaren dood!'

'Wie?'

'Pa Hoornik!'

'Pa Hoornik? Waar heb je het over?'

'Pa! Ed! Ed Hoornik! De vader van je vrouw, en van mijn vrouw ook.'

'Mijn vrouw? Ik ben helemaal niet getrouwd. Ik kan nog helemaal niet getrouwd zijn. M'n moeder komt me zo ophalen, want we gaan zwemmen. Dat heeft ze beloofd. Trouwens, ik vind jou helemaal niet leuk. Wie ben jij eigenlijk?'

'Ik ben het: Kaa.'

'...'

'Ik ben het: Kaa!'

'...'

'Ik ben het: Kaahaa!'

'Ja, nou en? Wat lul je nou, Schippers? Is dit soms een nieuw gedicht van je, ofzo? Trouwens, moet je die zien, met z'n dikke bierbuik...'

De chronliqueur van het Amsterdamse nachtleven A.F.Th. van der Heijden besloot dat het tijd werd voor zijn uurlijkse flesje Stolichnaya en hij wankelde naar de kampwinkel. Achter de kassa's zaten critica Jessica Durlacher, en de dichteressen Carla Bogaards en Diana Onzin.

'Maar hoe bedoelt u, dat ik hier niet mee zou kunnen betalen?' interviewde televisiepresentator en journalist Adriaan 'Handen op je portemonnee' van Dis. 'Dit zijn echte Zuidafrikaanse Krugerrands. Dat is overal ter wereld een wettig betaalmiddel. Dat weet u toch ook wel, hoop ik?'

Bedrijfsleider Tessa de Loo was onvermurwbaar: 'Niet als de inkt nog nat is nie, meneer.'

'U nie begrijp mijn vraag nie,' interviewde Van Dis verder. 'Ik heb op dit biljet *geciteerd*, snapt u?'

'U krijgt deze Gorgonzola niet mee, meneer Van Dis.'

Korte stilte.

'Oké, dat knippen we eruit,' zei Van Dis, in de beveiligingscamera pratend. 'Geeft niets. We beginnen gewoon even opnieuw. Mevrouw De Loo, wat wilde u drinken? Wat kan ik u aanbieden? Rode of witte wijn, water heb ik ook...'

'Stolichnaya,' mixte Van der Heijden zich in het gesprek. 'Met een kratje of vier kom ik de middag wel door. En een pakje jus d'orange. Voor de pitamientjes, bedoel ik. Ik maak er vandaag eens een gezonde dag van.'

'Zit er een cadeautje bij?' vroeg caissière Jessica Durlacher behulpzaam.

Hij keek haar met troebele ogen aan: 'Meisje, zie ik er echt uit als iemand die volle flessen drank weggeeft? De enige die nog weleens een presentje van me krijgt, is de glasbak.'

Het vraaggesprek tussen Adriaan van Dis en Tessa de Loo dreigde (zoals bij de gesprekken van Van Dis wel vaker gebeurde) op een handgemeen uit te lopen. Van der Heijden begon echter te roepen dat hij 'zijn kroeg' (waarmee hij waarschijnlijk de met tl-buizen verlichte kampwinkel bedoelde) graag gezellig wilde houden, en dat hij best bereid was even van 'zijn barkruk' (waarmee hij waarschijnlijk het winkelwagentje bedoelde waarin hij was gaan zitten) te komen om iemand even over 'de toog' (waarmee hij naar alle waarschijnlijkheid doelde op de lopende band van de kassa) te helpen omdat er iemand bezig was 'meer kapot te maken dan hem lief was.' Van Dis besloot een *uppercut* te vermijden en koos eieren voor zijn geld.

Buitengekomen zag hij nog net hoe enkele schimmige figuren zich uit de voeten maakten.

'Hier is iets aan de hand,' zei Van Dis scherp, 'ik weet nog niet wat, maar ik zal erachter komen.'

Op de grond zag hij iets liggen. Het glom. Hij bukte zich om het op te rapen en voelde een harde klap op zijn achterhoofd. Krimpend van de pijn zeeg hij ineen.

Met een kruiwagen gevuld met boeken banjerde de Fries/Nederlandse schrijver Atte Jongstra ('Onze bijdrage aan de Wereldliteratuur,' zoals zijn vrienden hem noemden, 'die gek met dat rare brilletje,' zoals de buurt hem omschrijft) door het als camping ingerichte park van het Noordgroningse kasteel d'Hoeg'n Bierg. Atte hield ervan om zijn belangrijkste encyclopedieën altijd bij zich te hebben. Hij had dan ook een veel groter onderkomen dan de rest (namelijk een in een naburig dorp op de kop getikte circustent) omdat hij nooit zonder zijn enorme bibliotheek op reis ging. Al zijn gedachten waren bij de nieuwe roman die hij in zijn hoofd had, *De zakbreuk door de eeuwen heen*, en al zijn eruditie, geestkracht en inbeeldingsvermogen wendde hij aan om die te concipiëren. De andere schrijvers op de camping hoorden hem murmelen over voetnoten, en zagen hem geregeld stilstaan om iets op te zoeken in een van zijn boeken. Beschaamd over zoveel werklust sloegen de andere schrijvers dan hun ogen neer. Atte bleef maar doorlopen. Tot hij opeens stilstond... Zomaar...

'Hé krek, ik stae stil, oudfries *stan*, oudnoors *standa*, oudiers *tau*,' grapte Atte, en hij probeerde zijn weg te vervolgen door met kracht de kruiwagen vooruit te duwen. Op dat moment kwam de bewusteloze Adriaan van Dis bij zinnen.

'Oe blinder,' zei Atte Jongstra verschrikt.

Van Dis, wakker geworden door het gepriem van Attes kruiwagen in zijn zij, probeerde op te staan, maar nog duizelig tuimelde hij voorover.

'Krek, mien het kenne bou de bieke skolle, odde kou skiet o de bolle!' zei Atte wijs tegen Van Dis, die daarop verdwaasd interviewend reageerde: 'Ik ben vanachter geslagen man, begrijp je dat niet?'

'Oe blinder!'

'Ik geloof dat de ondertiteling even is weg gevallen, Jongstra, praat eens normaal. En heb ook eens consideratie met mijn problemen. Het enige dat ik mij nog herinner is dat ik uit de kampwinkel stapte, iets glimmends zag liggen en een klap op mijn hoofd kreeg. Dat kan toch niet zomaar?'

'Waer laeg daet glimm'nde daen?' vroeg Atte Jongstra.

'Hier, recht voor me. Nu is het weg... Het is ongelooflijk. Wie zou mij geslagen hebben? En waarom?'

'Dat is de enigste juiste probleemstelling die je ken stellen,' bemoeide politieman/schrijver/miljonair A.C. Baantjer zich ongevraagd met het gesprek. 'Ik liep hier toevallig langs en ik zag je zo leggen, Van Dis, en ik begon meteen al iets te vermoeden. Ik docht: hier is iets aan het handje.'

'Heeft u ook gezien wie mij geslagen heeft?' vroeg Van Dis. 'En wat kan ik u ondertussen te drinken inschenken?'

'Ik heb niet helemaal precies gezien wie je een oelewapper heeft verkocht, maar wel bijna exact,' antwoordde Baantjer. 'Weet je, Van Dis, ik begin al iets te vermoeden. Luister...'

Wat A.C. Baantjer Adriaan van Dis wilde vertellen werd gesmoord in het gejoel bij het speelveld. Er werd namelijk een nieuw spelonderdeel aangekondigd en de bezigste bijtjes van de klas, de schrijvertjes Bril en Van Weelden, werden er door de jury op uit gestuurd om de campingbewoners te verzamelen. Het spel dat gespeeld ging worden heette 'toetsenbord-rugby' en iedereen moest eraan meedoen. De schrijvers gingen in een lange rij staan en de jury pootte om de ploegen samen te stellen. Er werden drie teams geformeerd, met aanvallers, verdedigers, coaches, *cheerleaders* en enorm veel reserves.

Voor aanvang van de competitie gaven de drie coaches een gezamenlijke persconferentie in de kantine. Een bataljon plaatselijke sportverslaggevers hing aan hun lippen, en hoorde coach Reve zeggen: 'Luister lekkere mannen, in mijn visie is toetsenbord-rugby oorlog. Niet meer en niet minder. Oorlog vind ik een schitterende naam. Zo zou ik zelfs willen heten. Je hebt ook namen die niet zo mooi zijn. Laat ik dankbaar zijn dat ik zo een prachtige naam heb. Hermans, dat is eigenlijk geen echte naam, maar alleen de tweede naamval van een voornaam. Mulisch betekent "muildier" geloof ik, ik heb het opgezocht. Zelf ben ik van adel, ik stam in vrijwel rechte ononderbroken lijnen af van een Etruskiese prins.'

Hierop werd coach Reve geïnterrumpeerd door coach Mulisch: 'Hij *gelooft* dat Mulisch "muildier" betekent. Zelf heeft hij jarenlang geprobeerd in het Engels te schrijven, maar hij gelooft dat Mulisch "muildier" betekent.'

'Hoor daar eens eventjes de mislukte lyceïsten Gerard Simon Kornelis Franciskus Markies van het Reve en Huwche Mulisch koddig kibbelen,' reutelde coach Hermans in zijn microfoon tegen de sportpers, 'wie zijn studie niet heeft afgemaakt, kan geen zelfrespect hebben, kan eigenlijk nooit coach worden. Huwche Huwche Mulisch met zijn krankjorumme filosofische onzinturf, denkt wel even een rugbyteam te kunnen leiden. Huwche.'

'Ik deel jullie burgermansmentaliteit nu eenmaal niet,' merkte Mulisch superieur op, 'maar mijn team zal jullie verpletteren, heel simpel omdat ik er de coach van ben.'

'Huwche Mulisch die alles verliest, maar nooit de moed,' hoestte Hermans.

Hierna werden de coaches door de plaatselijke pers ondervraagd over de opstelling, de geblesseerden en de te volgen tactiek. Aan de persconferentie kwam abrupt een rochelend einde toen een van de tien koppen tellende sportredactie van de *Goejanpapperveensche Courant* het waagde coach Hermans te vragen hoe het voelde om 'weer terug in het Groningse' te zijn.

'In het Groningse? Huwche, huwche, huwche!'

Verslag van de rugbywedstrijd: (snellezen)

Rudy Kousbroek nam met een behendig postmodern gebaartje het toetsenbord over van Willem Brakman, en wierp de 'key' met een gratieuze boog naar Jan Siebelink. Helaas voor hem werd het bord onderschept door het zogenoemde 'Vlaams Blok' bestaande uit Hugo Raes, Hugo Claus, Hugo Brusselmans, Hugo Lanoye, Hugo Vandeloo en Jef ('Hugo') Geeraerts. Hugo Brusselmans probeerde met het toetsenbord naar de palen te rennen, maar hij werd tegengehouden doordat Simon Vinkenoog, die een meter of drie achter hem stond, hem bij zijn haren pakte. Scheidsrechter Jules Deelder verzuimde echter hiervoor te fluiten omdat hij het publiek aan het opzwepen was om 'Spagta! Spagta!' te roepen. Toen de spelers in de gaten kregen dat het arbitrale trio, bestaande uit Jules Deelder, Henk Spaan en Jules Deelder, niet bij machte was om de orde op het veld te bewaren, werd het ieder voor zich, en Harry Mulisch voor ons allen. De schrijvers van de drie teams renden het veld op om het toetsenbord te bemachtigen. De jury zag dit met lede ogen aan. De verbeten strijd op het veld zou kostbare schrijverslevens hebben gekost (de vergelijking met het Heizelstadion diende zich aan toen een groepje dichters, voorheen Maximalen, met dichtbundels en pennen een ander groepje nog zieliger dichters begon te bekogelen) als niet op dat moment uit het kasteel d'Hoeg'n Bierg een ijzingwekkende gil had geklonken. Iedereen staakte onmiddellijk de vijandelijkheden. De gil was zo indringend dat het even duurde eer er iemand op het idee kwam naar het kasteel te rennen. Maar toen het eerste schaap over de dam was, volgden er meer. Tientallen schrijvers renden in de richting van het macabere geluid. Als in een echte Nederlandse film begon het op dat moment onheilspellend te donderen. Grote druppels vielen op het veld. Iederéén wilde nu naar het kasteel, al was het alleen maar om te schuilen. Maarten 't Hart ging voorop, almaar roepend dat zijn permanent zo kwetsbaar was. Ook Cees Nooteboom had last van de regen: hij stond aan zijn enkels in het water op een verlaten vliegveld in Bangladesh. Als eersten kwamen natuurlijk de bezigste bijtjes Bril en Van Weelden aan bij de balzaal van het kasteel, vanwaar de gil had geklonken. Ze gooiden de grote, hoge, gelakte deuren open, en wat ze zagen deed hen rillen van afgrijzen en angst...

'Oe blinder.'

De schrijvers, die zich aanvankelijk voor de openstaande deuren van de balzaal stonden te verdringen, deinsden terug. Het was inderdaad een afschuwelijk gezicht. De huiveringwekkende stilte werd doorbroken door AKO-prijswinnaar en kroniekschrijver van de Amsterdamse grachtengordel, Geerten Meijsing: 'Poeschkatje, Poeschkatje, zeg dan wat.'

'Doe niet zo dom, lul,' beet Jan Cremer hem toe, 'dat wijf heb toch een prop in d'r bek!'

De zuster van Geerten, de voormalige schrijfster Doeschka Meijsing, maakte een langdurig en volkomen ongewild vogelnestje aan een van de kroonluchters van de balzaal. In haar mond zat een prop van enkele pagina's uit haar zo jammerlijk onopgemerkt gebleven dichtbundel, waarvan ons nu zelfs de titel is ontschoten. Daar kwam ook de kampleiding aanlopen.

'Wat is hier aan de hand?' vroeg Kees Fens aan niemand in het algemeen en aan de schrijver Jan Siebelink in het bijzonder.

'Doeschka Meijsing maakt een langdurig en volkomen ongewild vogelnestje aan de kroonluchter van de balzaal,' zei bezig bijtje Dirk van Weelden ijverig.

'En in haar mond zit een prop van enkele pagina's uit haar zo jammerlijk onopgemerkt gebleven dichtbundel, waarvan mij nu zelfs de titel is ontschoten,' vulde bezig bijtje Martin Bril hem filosofisch aan. Geerten Meijsing had inmiddels een stoel op een tafel gezet om zijn zuster te bevrijden.

'Mi ficcar tutta notte,' zei Geerten Meijsing zacht en troostend, 'utar comme monton.'*

* Italiaans voor: 'Hebben ze je pijn gedaan? Ik zal je beschermen.'

'Al geen jaren meer een behoorlijke roman geschreven, en toch almaar in het middelpunt van de belangstelling willen staan,' merkte iemand hoestend op. Nadat Doeschka was bevrijd uit haar benarde positie begon iedereen te vragen wie haar in godsnaam zo had toegetakeld. Doeschka moest het antwoord schuldig blijven.

'Ik weet alleen dat ik van Kroonenbergs tent naar mijn tent wandelde en dat iemand mij plotseling bruut van achter pakte. Hij sleurde me mee, kneep mijn keel dicht, stompte me in m'n zij, er werd een hand op mijn mond gedrukt, ik voelde porren in mijn rug, ik werd geschopt, ik werd geslagen... Het was heerlijk.'

Uitgelaten verder pratend over dit vervelende voorval verdwenen de vele schrijvers naar de eetzaal. Kampleider/criticus Jaap Goedegebuure wenkte zijn collega Kees Fens bij zich. In een nis fluisterde hij: 'Kees, er gebeuren hier vreemde dingen...'

Fens knikte begrijpend.

'Hele vreemde dingen.'

De mannen keken elkaar zwijgend aan.

'Jaap, ik zal er binnenkort een column aan wijden in *de Volkskrant*,' stelde Fens voor.

'Nee, Kees, doe dat nou niet. Dit moeten we samen oplossen. Zoiets moet je niet aan de grote klok hangen.'

'Nou, aan de grote klok hangen... Stel je niet aan, Jaap. Die columns van mij leest toch niemand. Zal ik je eens een geheimpje verklappen? Ik heb een autistisch neefje; als ik hem een reep chocolade geef, schrijft hij in tien minuten mijn column.'

'Eerlijk?'

'Ongelogen waar.'

'Tss, het is wat, hè? Maar Kees, zullen we onze ogen en oren open houden?'

'Laten we dat doen. Laten we erachter komen wat er hier aan de hand is. *There's something rotten in the state of d'Hoeg'n Bierg!*'

'*There's something rotten in the Grunkrenkoe,*' zei de officiële Nobelprijskandidaat van Nederland, de dichter Gerrit Kouwenaar, en hij schoof zijn bord met geflambeerde Grunkrenkoe van zich af.

'Is het in het bejaardenhuis weer beter, Opa?' vroeg de al weer wat oudere jonge schrijver Joost Zwagerman nogal bot. Zwagerman was slecht gehumeurd, maar dit kwam omdat hij het vermoeden had dat de Noordgroningse politie hem schaduwde. In zijn angst had hij tijdens het toetsenbordrugby daarom een kwart onsje 'snuif' in de latrine geworpen, dat hij – als de kust weer veilig zou zijn – op had willen halen. Helaas voor hem rook Simon 'de Neus' Vinkenoog lont, en deze had het enthousiasme van een hasjhond weten te paren aan de vasthoudendheid van een truffelvarken, en zo de hele latrine uitgespit. Voor Zwagerman er iets aan kon doen, had Vinkenoog de handelswaar geconfisceerd...

'Hééé, helemaal te gek cool wijs, weetje, deze space-Grunkrenkoe,' riep Vinkenoog almaar, tot het op begon te vallen.

'Hoe bedoel je, space-Grunkrenkoe, Vinkenoog?' vroeg de kokkin Tessa de Loo, plotseling hevig ontzet. 'Je hebt me bezworen dat er in dat zakje gemalen kokos zat. Kokos.'

'Hééé, wat een wááάánzinnig misverstand, weetje, helemaal te cool. Zitten al die ouwe gezellige giflijers hier dankzij jouw cokekunst space-Grunkrenkoe te eten. Wijijijjs. Gáááάf,' riep Vinkenoog, 'o, ik geniet.'

Het begon inderdaad zo langzamerhand een dolle bende te worden in de eetzaal van het kasteel. De klaarblijkelijk in de Grunkrenkoe meegebakken drugs maakten het slechtste en laagste in de schrijvers en dichters los. In alle hoeken begonnen ze te zingen en driftig uit eigen werk te citeren.

'We hebben een potje potje potje potje vehehet, al op de tafel gezet, tadada...' dichtte Elly de Waard.

'Als het gras twee rondjes hoog is,' gilde Oek de Jong uitgelaten.

'Twee emmertjes pompen,' geilde Jan Cremer op zijn beurt.

'Toen wij uit Rotterdam vertrokken,' zong Jules Deelder weemoedig.

'Ja ja, naar Fabeltjesland, en leest u ons dan voor uit de Fabeltjeskrant? Ja ja, uit de Fabeltjeskrant,' brabbelde Jee Bernlef in zichzelf.

'En we gaan nog niet naar huis, nog lange niet, nog lange niet,' zong Cees Nooteboom cynisch op het vliegveld van Addis Abeba, waar hij vast zat op verdenking van drugsmokkel.

Terwijl de gezelligheid in de eetzaal dankzij de space-Grun-krenkoe geen tijd kende, werd in de wijnkelder een somptu-eus diner geserveerd voor een select groepje.

'Alles gaat naar wens,' zei iemand beheerst en hij blies lang-zaam een dikke wolk tabaksrook in de ruimte.

De rest van het gezelschap knikte minzaam.

'Wordt het alleen niet eens tijd dat we iemand eens ècht pakken?'

'Je bedoelt ècht pakken?' vroeg een ander.

'Onschadelijk maken, bedoelt hij,' zei een derde.

'Onschadelijk maken,' beaamde de eerste, 'dat bedoel ik.'

'Onder de groene zoden schoffelen?'

'Wie weet. Wie weet.'

Even zwegen alle aanwezigen. Het espressoapparaat prut-telde afwachtend. Een moment later werden de glazen gehe-ven en werd een belangrijk besluit beklonken...

Toen de onbedaarlijke coke-bende in de eetzaal voorbij was, en de zon langzaam was ondergegaan, de schrijvers in hun tenten lagen te wachten op de volgende dag, Marijke Höweler ontzet was omdat er iemand in haar tent had 'gekotft', Offi-ciële Oude Viezerik Adriaan Morriën aan iedereen die het maar wilde zijn 'tentstok' had laten zien, klonk er andermaal een ijzingwekkende gil over het kampterrein. Gelukkig was er niet veel aan de hand. Bioloog Midas Dekkers had zich op een aanpalend weilandje tegoed gedaan aan een nietsvermoe-dend speenvarken, dat fysiek slecht was toeberekend op de niet aflatende attentie van de sympathieke snor.

'Was het net zo fijn voor jou als voor mij, lief dier?' fluister-de Midas hees in het grappige kruloortje van het beestje. Het gekrijs van het varkentje klonk nogmaals over het camping-terrein.

Schrijver Appie Baantjer stond met zijn staaflamp in zijn hand vanachter een boom toe te kijken.

'Halt, pollutie,' riep hij het liefdespaar toe. Hij begon al iets te vermoeden...

In de ontbijtzaal van kasteel d'Hoeg'n Bierg zaten enkele schrijvers zich te goed te doen aan wederom een enorme hoeveelheid door kokkin/schrijfster Tessa de Loo gebakken Grunkrenkoe. Even zuinig als creatief had De Loo de Grunkrenkoe van de dag tevoren gemengd met de koek van die dag.

'Ha, alweer Grunkrenkoe!' zei René Stoute, jarenlang een ongewenst dieet van water en brood gewend, opgewekt: 'Ja, we worden hier wel verwend!'

'En wat zo leuk is,' merkte Rudy Kousbroek op, 'die van vandaag is nog lekker zacht en week, zodat je niet zo hoeft te kauwen, terwijl die van gisteren zo vrolijk over je bordje stuitert!'

'En vergeet die heerlijke saus niet, welke onze keukenprinses heeft weten te destilleren uit de koeken van eergisteren,' vulde Boudewijn Büch opgetogen aan.

'Nou inderdaad, en zou iemand mij kunnen vertellen wat voor heerlijke schuimende bruine drank men ons heeft ingeschonken?' vroeg Remco Campert.

'Nou, ik vind het anders niet te vreten wat dat smerige wijf ons nu weer heeft voorgeschoteld,' zei Margriet de Moor, met wat minder gevoel voor ironie, 'eerst bruin, dan bruin en dan godverdomme weer bruin! Dat verzin je toch zeker niet!'

In de deuropening van de keuken stond Tessa de Loo, met haar armen over elkaar geslagen, het gemekker van de schrijvers aan te horen. Ze draaide zich om en overlegde kort met H.C. ten Berge, Kester Freriks en Louis Ferron, de rest van het bestuur van het Fonds voor de Letteren.

'Luister,' begon ze kalm maar dreigend, en de zaal viel stil, 'ik sta me hier in die keuken de godganse dag uit te sloven voor jullie stelletje ondankbare uitvreters. Als het jullie niet bevalt, rot je maar op. Ga maar naar een andere camping. Ga maar een ander kosthuis zoeken.'

'Ga maar een ander k...k...k...*' fluisterde Hugo Brandt Corstius.

'En zo'n opmerking van jou hoef ik ook niet meer te slikken, Hugo!'

'Maar wij jouw g...g...g...**' probeerde Brandt Corstius nog.

'Je mag wel iets anders van me slikken!' riep Jan Cremer olijk.

'Nee Hugo, nee Jan, jullie hebben me wel gehoord. En iedereen hier in de zaal: als het jullie niet bevalt, gaan jullie maar weg.'

Als één man veerde de zaal op.

'Maar dan krijgen jullie ook geen centjes meer van het Fonds voor de Letteren,' voegde Tessa de Loo daar geniepig glimlachend aan toe, 'en van de grote wedstrijd worden jullie bovendien gediskwalificeerd.'

Als één man veerde de zaal weer terug.

'Zoo,' besloot De Loo, 'en denk eraan, ik kom de bordjes controleren.'

Aangevoerd door Marijke Höweler werkte iedereen met lange tanden zijn Grunkrenkoe naar binnen.

'En dit is nog maar het ontbijt,' somberde dichter Eddy van Vliet.

Vandaag stond de dropping op het programma: de schrijvers (behalve Cees Nooteboom, die op het vliegveld van Rome gevallen was en daar moest blijven) werden in groepjes van vijf in het Groningse land achtergelaten en ze moesten zonder hulp van kaarten of een kompas zo snel mogelijk de weg naar de camping terugvinden. Voor de meesten zou het natuurlijk een ware Odyssee worden, maar niet voor Jan Wolkers, die er de voorkeur aan had gegeven in zijn eentje te vertrekken.

* Opperlands voor: 'Ga maar een ander kotshuis zoeken.'
** Opperlands voor: 'Maar wij jouw Grunkrenkoe ook niet.'

Wolkers genoot. Wolkers leefde eindelijk weer eens. Die wedstrijd win ik op mijn sloffen, dacht hij. Midden in een bos was hij gedropt en luisterend naar de krakende takjes onder zijn blote voeten oriënteerde hij zich. Aan de vegetatie in het woud
kon hij de windstreken onderscheiden, de dieren wezen hem de weg tussen de bomen, de vlucht van de vogels voorspelde hem het weer, en een plots opstekende bries vertelde hem wat hij gisteren had gegeten. Op zijn horloge zag hij hoe laat het was. Hij had nog geen kwartier gelopen of hij ontwaarde een nederzetting in de verte. Mensen, schrok hij. Toen hij net in de dorpsstraat van de negorij liep, kwam er zo'n mens naar hem toe.

'Vind je het normaal om er zo bij te lopen?' vroeg de mens.

'Wat is er fout met mijn lichaam?' antwoordde Jan 'Missing Link' Wolkers en hij streelde de vacht van zijn borst.

'Het feit dat je er geen kleding over draagt,' zei de mens.

'Hoe bedoelt u?' vroeg Jan Wolkers verbaasd hijgend, 'het is toch heerlijk: gewoon lekker in je blote reet rond te lopen. Dat zou u ook eens moeten proberen.'

De mens, een diender van de Noordgroningse rijkspolitie, wist het goed gemaakt met Wolkers.

'Weet je wat we doen, vriend, ik breng jou tot aan de grens van het dorp. En dan wil ik je hier nooit meer zien, begrijp je dat?'

Gelaten liet Jan Wolkers dit over zich heen komen. De diender bracht hem achter op de fiets naar het veen. Hij liet Jan Wolkers afstappen, en zei: 'Tot hier, en niet verder, kameraad.' Daarna fietste hij weg.

Het was geheel niet de intentie van Wolkers om problemen te maken. De diender had er in zijn ogen echter om gevraagd. Even haalde Wolkers adem, toen draaide hij zich om, en vertrok richting het dorp. Een Wolkers liet zich niet door de eerste de beste diender wegsturen!

Terug in het dorp paradeerde hij 'gewoon lekker in zijn blote reet' door de dorpsstraat. Een flinke jongen die hem daar weghaalde, maar goed, ze waren dan ook met z'n drieën.

'Ik dacht dat ik duidelijk was geweest, makker,' zei de diender tegen Wolkers, die zich inmiddels al weer achterop de dienstfiets bevond, 'voor heethoofden zoals jij hebben wij hier in het Noorden een passende oplossing.'

Eenmaal op het bureau werd Wolkers 'afgekoeld' met een harde waterstraal en om hem te pesten deden ze hem kleren aan.

'Waar kom je vandaan?' vroeg de sherrif.

'Uit Oegstgeest,' perste Wolkers er met moeite uit.

'Dan ga je daar maar mooi naar terug,' lachte de sherrif sardonisch.

Voor de tweede maal die dag werd Wolkers buiten de dorpsgrenzen gezet. Vertwijfeld staarde hij naar de bosrand. Hij kon twee dingen doen, terug gaan naar de camping (en de wedstrijd winnen), of zijn gram halen. Een verbeten trek speelde rond zijn muil.

'*They shed first blood*,' bromde hij, voor hij een forse tak van een boom splijtte, zijn kleren van zijn lijf scheurde om er een steen in te wikkelen en van wat twijgjes een zweep maakte. 'Een man moet doen, wat een man moet doen,' zei hij ferm.

'Oh nee, niet weer...'

De brigadier van het Noordgroningse dorp zag nu voor de derde keer Wolkers door de dorpsstraat banjeren. Dit keer had de verwilderde gek met aarde zijn gezicht zwart gemaakt en liep hij als een Indiaan oerklanken uit te stoten. De diender zette zijn pet, trommelde zijn twee hulpbrigadiers en ging de straat op. Jan Wolkers had zich inmiddels in een plantsoen verschanst.

'Ik word zo, zo, zo moe van jou, weet je dat?' riep de brigadier al van afstand tegen Wolkers. 'Ik vraag het nog één keer: kun je nu niet gewoon weggaan? Ik sluit je op als je niet verdwijnt.'

Jan Wolkers begon te grommen. Dreigend liet hij zijn tanden zien. De brigadier zuchtte diep, wilde een handgebaar maken naar zijn secondanten, maar op dat moment stopte er een busje bij het plantsoen. Op het busje stond het logo van het kasteel d'Hoeg'n Bierg.

'O, dáár is hij,' riep criticus/kampleider Jaap Goedegebuure tegen zijn collega's Carel Peeters en Kees Fens. De mannen stapten uit het busje.

'We waren hem al kwijt,' verduidelijkte Carel Peeters.

Fens zei tegen Wolkers: 'Iedereen is al uren binnen, maar alleen Jantje Eigenwijs ontbrak nog.'

Met gebogen schouders sjokte Wolkers naar het busje. Goedegebuure gaf de agent een hand ('Hij is toch niet lastig geweest, hè?') en gevieren reden ze terug naar het kamp. Voor Jan Wolkers zat deze dag er weer op.

Un journal est une longue lettre que l'auteur s'écrit à lui-même, et le plus étonnant est qu'il se donne à lui-même de ses propres nouvelles, zeg ik altijd maar. Na de gezellige dropping van vanochtend kregen we vanmiddag een paar uur vrij. De jury kon er maar niet uitkomen wie als eerste was gefinished (laatste was in ieder geval die horrible Jan Wolkers), maar ik denk nog steeds dat ik een goede chance maak om uiteindelijk de beste schrijver van Nederland te worden. In de paar uur dat we vrij hadden, heb ik eerst gezellig voor de tent gezeten bij Gerrit Krol en een interessante Belg, Hugo Vandennogwattekes geloof ik, waar we lekker hebben zitten praten onder het genot van wat wijn, brood en kaas. Daarna ben ik even in mijn eentje door de fraaie Franse tuin van het kasteel gaan wandelen, omdat ik dacht daar Cees Nooteboom aan te treffen. Later hoorde ik echter dat hij op vliegveld Charles de Gaulle was besprongen door een hasjchien. Ik kwam een oude clochard tegen, van wie ik eerst dacht dat het de tuinman was (ik heb wat met tuinmannen), maar toen hij zijn regenjas openspreidde, wist ik direct dat het Adriaan Morriën moest zijn. Getweeën liepen we verder en ik wees hem de prachtige flora. Het was heel aangenaam om daar met Morriën te wandelen. Het deed me aan vroeger denken, aan mijn vader, aan de kassen, de tuin, de bloembollen, de hongerwinter. Adriaan en ik zagen een jasmijnboom, een zilverberkstruik in het staande koren, een (bloeiende) aardappelboom, een paar lijsters, her en der het roodbruine blad van het speenkruid en een prachtige slagboom. Omdat we op het terrein moesten blijven, zijn we toen maar weer teruggegaan… Die oude Morriën, een prachtkerel... Ik zei tegen hem: 'Si jeunesse savait, si vieillesse pouvait!' zei ik, maar ik weet niet of hij het begreep.

'Ik kan het nog steeds, altijd, ieder moment van de dag! Toujours, monsieur!' riep hij bijna schuimbekkend, en hij werd er zowaar even boos om, le vieux saligaud!

Was het overigens niet Maeterlinck die zei: 'le passé est toujours présent'? Ja, ik geloof het wel. Gelijk had hij! Het verleden was vanmiddag wel erg sterk aanwezig. Het leek weer Velp, 1949, met die brutale Adje Bruinsman en die stille Nol Oosthuizen (die altijd zo naar pis stonk). Adje had verteld dat Trudy Vaneveld al tietjes begon te krijgen, en ook al had ik geen idee wat dat waren, ging ik toch maar mee om haar te bespieden. In de struiken van haar jardin hadden we ons verstopt met uitzicht op haar kamer. Haar vader had ons echter eerder door dan wij haar tietjes en hij joeg ons weg (ik heb dus tot op de dag van vandaag geen idee wat het nou eigenlijk zijn, maar allez).

Zoiets gebeurde er vandaag ook: Adriaan en ik liepen door de Franse tuin en een tiental meter verderop hoorden we een ingehouden geschreeuw. Er leek een soort worsteling plaats te vinden. We liepen erheen om te kijken of we van dienst konden zijn. Op de plaats des onheils was niets te zien, maar wel verdween er in de verte een schim. Morriën en ik renden er wat angstig naar toe. Wat was er aan de hand? We keken goed om ons heen maar hadden niet door dat W.F. Hermans plotseling achter ons stond. Snuivend keek hij ons aan.

'Wat moet dat hier?' vroeg hij dreigend.

Morriën moest ik tegenhouden omdat deze onmiddellijk op de vuist met Hermans wilde. Ik vroeg Hermans of hij ook een schreeuw had gehoord.

'Ik heb niets gehoord,' zei Hermans, 'en jullie ook niet... Is dat duidelijk?'

Ik vond het maar een vreemde bedoening, maar soms is het beter om je nergens mee te bemoeien en... Toen ben ik weer naar mijn tent gegaan, om me te verkleden voor het avondeten. Er schijnt vanavond iets te doen te zijn... Ach ja: toute narration tent au théâtre. En ik zeg altijd maar zo: Un journal est une longue lettre que l'auteur s'écrit à lui-même, et le plus étonnant est qu'il se donne à lui-même de ses propres nouvelles.

Gottegottegottegot, wat was ik geil vandaag. Ik heb maar weer een nieuwe tentdecoratie aangebracht, want die ouwe porno begon er een beetje afgetrokken uit te zien. De dichter/ essayist/prozaïst/tijdschriftredacteur/filmkenner/columnist /toegewijde echtgenoot/bemoeial Willem Jan Otten, met wie ik mijn tent deel, maakte net als vorige keren veel misbaar. Ik noem het altijd maar mijn dochtertjes, die leuke meisjes die links en rechts boven mijn luchtbed hangen te glimlachen met hun beentjes gespreid. Die Otten heeft er geen oog voor, die zegt dat ik zíjn pornoboekjes maar eens moet lezen. Ik snap het niet, porno lezen, porno moet je zíen.

Vandaag werden we gedropt, maar helaas werd ik ingedeeld in een groep louter bestaande uit mannen. Twee uur lang geen vrouw te zien. Later vanmiddag hadden we een paar uur vrij, en besloot ik in de Engelse tuin te kijken of ik nog iemand 'verrassen' kon. Nou dat viel vies tegen. Stond ik daar in blijde afwachting, met mijn jas open, verdoofd van geilheid te wachten op de dingen die zouden komen, loopt er vervolgens een of andere oninteressante vervelende leraar Frans met een snor naar me toe. Adieu, geilheid. En bleef het daar maar bij, welnee, leraar Frans wilde praten over de bloemetjes en plantjes... En maar zeiken over zijn vader. En maar zeiken over z'n jeugd. Over Velp, 1949, godallemachtig. Over Adje Weetikveel en Nol Oostduitser (die altijd zo naar poep stonk) en een of andere meid zonder tieten. En maar lullen, die leraar Frans. Murw geouwehoerd riep ik op een gegeven moment sarcastisch: 'Man, dit is interessant! Daar zou je een boek over moeten schrijven, weet je dat?' Leraar Frans keek me lang aan. Had-tie al gedaan, boeken schrijven. Een stuk of negen. Uitgegeven bij Meulenhoff. Vind je het godverredomme gek dat ik ze niet ken.

Toen hoorden we opeens een hele geile kreet uit de tuin. Ik veerde op, en ik dacht: 'Ah, daar ligt ze!' Dáár moeten we heen, besloot ik, wat ik ook tegen leraar Frans zei, maar leraar Frans vond het 'een beetje eng.' 'Adriaan,' zei hij (ook zoiets dat geadriaan de hele tijd); 'Adriaan, voorzichtig!'

'Ik ben toch bij je!' zei ik, waarna we op zoek gingen naar de gilster. Nergens te bekennen natuurlijk. Wel had ik plotseling een rochelende Wim Hermans in mijn nek.

'Zou je je fluimen bij je willen houden?' trad ik hem tege-moet, want ik vind dat je in iedere situatie een heer moet blij-ven. Terwijl Hermans even de hoofdmeester uit ging hangen, trok leraar Frans me de tuin uit.

Ik dacht: dit is een verpeste dag. Ik kan maar beter naar mijn tent gaan.

Daar lagen mijn dochtertjes op me te wachten... Vanavond is er iets te doen in de kantine. Ik hoop bij God dat er iets te neuken valt.

Natuurlijk was het niet alleen competitie wat de klok sloeg tussen de verzamelde Nederlandse schrijvers, welnee, gezellig was het ook wel eens. Fris gedoucht (oksels gewassen, iedereen een schone onderbroek) verzamelde men zich in de kantine van het kasteel d'Hoeg'n Bierg: de feestavond kon beginnen! Alleen Cees Nooteboom was niet van de partij. Hij was gestrand op het vliegveld van Kathmandu, omdat hij geen visum had gekregen om Nepal te verlaten.

Het feestcomité, bestaande uit Hugo Claus, Hubert Lampo, Jos Vandeloo en Jef Geeraerts, had uitgepakt met een vrolijke Vlaamse avond. In konijnepakken liep het comité als Belgische Bunny's door de menigte heen, iedereen oppeppend, moed insprekend en de sfeer verhogend. Achter de tap stonden Herman Brusselmans en Mireille Cottenjé Vlaamse bieren en een soort worst te verkopen. Door de boxen van Cottenjé klonk de vogeltjesdans. De kampleiding nestelde zich op de voorste rij in afwachting van de vrolijke presentator Boudewijn Büch. Daar was hij al, het zonnetje. Sierlijk mopperend sprong hij op de provisorische bühne om de zaal toe te spreken.

'Halloooow kasteel d'Hoeg'n Bierg,' riep hij emotieloos in de microfoon en hij tuitte zijn lippen op een manier die in de verste verte niet deed denken aan Mick Jagger. 'Ik zeheg… halloooowww kasteel d'Hoeg'n Bierg!'

Uit de gezellige hossende menigte kwam geen enkele, maar dan ook geen enkele reactie.

'Ik zal beginnen met een mopje,' begon Büch, met een chagrijnig gezicht, 'om de stemming er een beetje in te brengen. Weten jullie waarom de burgemeester van Groningen altijd

43

op de fiets terug naar zijn woning rijdt? Nou? Dan kan hij de fiets met zijn ambtsketting op slot zetten...'

Uit de van feestvreugde niet meer te stuiten meute kwam wederom geen enkele reactie.

'Maar goed, waar was ik?' zuchtte Büch. 'Wat gaan we van-avond allemaal doen? Een heleboel leuke dingen, die ik jullie niet zal verklappen. Het wordt een verrassingsavond en ik be-loof jullie dat jullie helemaal uitgelaten weer naar jullie tent zullen gaan. Allereerst zal voor jullie optreden de speciaal voor deze avond gevormde meidengroep *Doeschka and her Hotpants*, featuring Yvonne Keuls, Yvonne Kroonenberg, Connie Palmen *and the Divine Miss M. herself*...'

Uit de deinende massa was ten derden male niets maar dan ook niets te horen. 'Geef ze een warm applaus...' steunde Büch vooraleer hij het podium afsprong.

De vier leuke meiden hadden zich in hun tent verkleed en opgemaakt. Met roze hotpants en oranje topjes beklom-men zij het podium.

'*Allright!*' riep Doeschka Meijsing, weer helemaal hersteld van haar onvrijwillige turnexercitie van de dag daarvoor, '*are you ready for it?*'

Hoopvol keek Doeschka de zaal in, terwijl de drie andere meiden zich opstelden. Uit de kantine was de enige respons de opgewonden blik van schrijver/columnist Theun de Vries (1907).

'*Are you ready fot it?*' vroeg Doeschka nogmaals.

'Mens, begin nou maar...,' mompelde De Vries verlekkerd naar de frisches Gemüse kijkend.

'*We're gonna sing for you a Love Unlimited-song,*' ging Doeschka verder, '*called: "I'm so glad I'm a woman". Allright, girls, let's go for it.*'

De schrijver/kamptechnicus Gerrit Krol deed hun cassette-bandje in de recorder en hij stak zijn duim omhoog. Er werd een spot gericht op de spiegelbal en muziek schalde door de boxen van Mireille Cottenjé.

Koket maakten de dames hun eerste pasjes. Daarna zong Doeschka in de microfoon het eerste couplet:

Elke morgen als ik opsta,
en ik kam mijn haar,

kan ik mijn vader horen zeggen:
'Het is een boze wereld daar.'

(Andere meiden: *'Doewaaaaaaa!'*)

Terwijl ik me dan opmaak –
zijn woorden hangen in de lucht –
dan ga ik bij het raam staan
kijk naar buiten en ik zucht:

(*'Doewaaaaaaa!!!'*)

Ik ben zo glad dat ik een vrouw ben
Wil ruilen voor geen geld
Ben liever ongesteld want
Wij zijn de bron van 't leven
En nu is het tijd… om te geven!

Het moet gezegd worden, dit lied sloeg in als een bom. Sterker nog, het was een succes. De wat koele zaal van zoëven vond het prachtig. Alleen de misogyne schrijver/dichter/mopperpot Gerrit Komrij kon er zich minder in vinden: 'Godverdegodverdegodverdegodvergeten stomme wijven,' oordeelde hij. Na het buitengewoon succesvolle refrein volgden nog drie coupletten en zes keer het refrein.

Het was erg grappig te zien hoe vrijwel iedere schrijver uit de Nederlandse literatuur (vooral Maarten 't Hart) met overgave en uit volle borsten dit nummer stond mee te blèren. *Doeschka and her Hotpants, here we go.* Alle strijd tussen de schrijvers onderling was even vergeten, alle concurrentie, de sportieve competitie. Met dit nummer was er even saamhorigheid, even broederlijkheid, even gelijkheid. Iedereen haakte in, achterin stonden er dichters op de stoelen, er werd met aanstekers gezwaaid, en iemand rolde ritmisch de rolstoel van de volkomen hysterische Theun de Vries heen en weer... 'Bleef het maar zo,' verzuchtte voorin de zaal een van de kampleiders, 'bleef het maar zo.'

'Weet u,' probeerde na dit eclatante succes Boudewijn Büch er de stemming in te houden (hij was inmiddels weer het podium opgestrompeld en sprak de zaal toonloos toe), 'op avonden als deze zou ik het liefst zelfmoord willen plegen. En dat meen ik, hoor.'

Hierop spitste Jeroen Brouwers zijn oren en bedacht al een titel voor het vervolg op zijn roemruchte zelfmoordboek: *Niet de eerste de beste deur.*

'Maar laat ik dit eventjes afmaken,' ging Büch monter verder, 'eens kijken, we hebben *Doeschka and her Hotpants* gehad, dan is het nu tijd voor de Soundmixshow. Het eerste kandidaatje, of moet ik zeggen slachtoffertje, is de dappere Maartentje 't Hart uit Leiden!'

't Hart kwam op zijn hoge hakken als een kapstok waar een heel showballet zijn garderobe overheen had gegooid het podium op.

'Wie ga je nadoen, Maarten?' vroeg Büch.

'Madonna,' zei 't Hart nerveus.

Büch keek hem mistroostig aan.

'Madonna,' herhaalde hij monotoon.

't Hart knikte enthousiast.

'En welk liedje ga je voor ons zingen, Maarten?'

'"Like a virgin", meneer Büch,' bibberde 't Hart.

'"Like a virgin",' verzuchtte Büch hem na, 'nou kom op, knul, als het in godsnaam maar niet te lang duurt.'

De computergestuurde Gerrit Krol, die dankzij de ingebouwde micro-electronica feilloos functioneerde, startte de band. Schriel piepend falsette Maarten 't Hart de eerste regel. Het was overdonderend afschuwelijk en afschuwelijk overdonderend. Vooral grappig was het te zien wat voor een uiteenlopende reacties Maartens optreden teweegbracht. Velen lagen stuiptrekkend en in hun broek poepend van het lachen over de kantinevloer, een enkeling deed een serieuze zelfmoordpoging (maar gelukkig was de presentator weer snel op de been), een enkel mensje nam foto's, en velen, heel velen maakten zich oprecht Heel Erg Boos. Het was uiteindelijk een zich voortdurend verslikkende Willem Frederik Hermans die naar de meterkast wist te waggelen. Manmoedig hoestend draaide hij de hoofdschakelaar om.

Plotseling was het erg stil in kasteel d'Hoeg'n Bierg. En erg donker ook.

In de in duisternis gehulde kantine was de spanning voelbaar. Niemand wist wat er aan de hand was, maar iedereen herinnerde zich meteen de onsmakelijke scène met Doeschka Meijsing. Vreemd genoeg waren de aanwezigen niet hysterisch gaan gillen, wat in dit soort situaties doorgaans gebeurt. Iedereen zat stil en lijdzaam te wachten op de dingen die gingen komen. Was het de uitbarsting van verbaal geweld die volgde op 't Harts act, die de menigte nu zo abrupt deed zwijgen? Waren zij moe geworden van het luidkeels protesteren?

Nee, de verzamelde auteurs waren zo stil omdat ze verdomd goed wisten dat er iets niet pluis was in het kasteel d'Hoeg'n Bierg, en iedereen begreep dat er weer iets geheimzinnigs stond te gebeuren.

W.F. Hermans vond het wel weer genoeg zo en haalde de grote rode schakelaar over. Opnieuw schalde de muziek van Madonna door de ruimte, maar dit keer nam het publiek daar weinig aanstoot aan. Ademloos staarde men naar het podium. Maarten 't Hart was verdwenen. Daar waar net nog een lange gestalte met ietwat hoekige heupen koddig maar bloedserieus meedanste op de muziek, lag alleen nog een bruin hoopje. Politie-schrijverman Appie Baantjer stormde het toneel op, viste een beduimeld doekje uit zijn broekzak en pakte het vodje voorzichtig op. 'Het lijkt een hoop stront,' stelde hij de zwijgende aanwezigen op de hoogte van zijn bevindingen, 'maar het is een pruik.'

De eerste die het zwijgen verbrak was Jee Bernlef, die nieuwsgierig aan zijn buurman Kaa Schippers vroeg: 'Oom Theo, was het haar van die mevrouw niet echt dan?' Schippers ging daar wijselijk niet op in en richtte zijn aandacht op Mensje van Keulen, die met fototoestel en al op het podium was geklommen om wanhopig schreeuwend aan Baantjer te vragen waar Maarten toch in godsnaam was gebleven.

'Aha,' merkte Baantjer scherpzinnig op, 'u kan het slachtoffer?'

'Hoezo, ik kan het slachtoffer? Zeik toch niet man, dat was Maarten 't Hart,' antwoordde Van Keulen bits.

'Aha, Maarten 't Hart. Vandaar die pruik. Dan zijn we al een stuk verder. Ik begin al iets te vermoeden, kijk, als het zo is dat…'

'Pieppiep, tokkie, tokkie wops wops,' zei iemand zomaar plotseling vanuit de zaal.

'Ja, Biesheuvel!' schreeuwde Mensje van Keulen nu lichtelijk hysterisch, 'bemoei jíj je er even mee. Ik ben hier in gesprek met de heer Baantjer, over waar Maarten zou kunnen zijn…

'Pokpokkloktuut, wops, Karel van het Reve, *don't sleep in the subway*, roepiroepi.'

'Ik wil niets zeggen…' merkte Boudewijn Büch *zum Tode* verveeld op.'

'Goed zo,' vond Harry Mulisch, 'Büch houdt eindelijk zijn kop dicht, dan kunnen de Grote Mensen zich weer bezig houden met de echte problemen. Nou, wie was er aan de beurt in de playback-show?'

'Zie het maar weer door de vingers dat er iemand "zomaar" verdwenen is,' riep Stephan Sanders uit een andere hoek van de zaal, 'net als in Cuba, daar verdwenen ook "zomaar" mensen, daar gingen net als al die sigaren ook "zomaar" mensen in rook op.'

'HO! Stop!' pijprookte Mulisch bescheiden, 'als die jongen ooit nog eens het woord krijgt, ben ik weg. Laat dat duidelijk zijn.'

'Pieppiep! Flokkieflokkie, hops hoepaaaa,' liet Biesheuvel duidelijk zijn mening horen.

'We gaan toch verdomme geen ruzie maken als niemand weet waar Maarten is gebleven!' klonk het krijsend uit de richting van het podium.

'Mevrouwtje, rustig, de sterke wet van de arm is lang, maar rechtvaardig. We vinden haar heus wel. Trouwens, ik begin nog steeds iets te vermoeden.'

'Ik heb een leuk idee,' somberde Boudewijn Büch, die inmiddels weer op het podium stond. 'Laten we Maarten met z'n allen gaan roepen. Doe maar met me mee, jongens. Daar gaan we. Maarten! Maar-ten!'

Niemand, maar dan ook werkelijk helemaal niemand schreeuwde met Boudewijn mee.

'Jongens, ik hoor niets uit de zaal! Doen jullie niet even met me mee? Maar-... Maar-...'

'In Cuba ging dat wel anders,' hoorde de menigte Stephan Sanders fluisteren, 'als daar de leider opriep om te scanderen, deed iedereen mee.'

'Ik hoor daar iemand reutelen,' neuzelde De Pijp superieur.

'Ssst,' deden bezigste bijtjes Bril en Van Weelden in de richting van Sanders: 'Denk aan oom Harry.'

'Wat je zegt, dikke Harry,' zei Jan Cremer, 'ik dacht dat het feest was, vanavond. Met wijven enzo. Bier. En wijven. Dat had ik begrepen. Feest. En dan gaan we hier met z'n allen liggen emmeren over zo'n halfzachte pruik. Nou, ik ben blij dat dat mens weg is.'

'*That's the spirit*,' zei Joost Zwagerman, 'ik bedoel, laten we vanavond eens gewoon lekker uit ons dak gaan. Ik trek dit gezeik niet langer. Ik heb in de *i*T zo vaak even een travestiet zien aftaaien naar de plee. Even de neus te poederen, *catch my drift*? *Party*, daar ga ik voor. Lekker *housen* in de kantine.'

'Heb ik daar godverdegodver een hele soundmix-act voor ingestudeerd?' riep Willem Brakman, die in plaats van een nieuwe onbegrijpelijke roman te schrijven een paar uur had geoefend om 'Sexy Mother Fucker' net zo hees en met dezelfde danspasjes als Prince te kunnen vertolken. 'Ik wil mijn ding doen!'

'En wij dan!' riepen Rutger Kopland en Neeltje Maria Min, 'hebben wij dan voor niets ''Oe ma paloma blanka'' van de George Baker Selection ingestudeerd?'

'Daar heb ik verdomme mijn baard voor laten staan,' voegde de sympathieke psycholoog er nog aan toe.

'Lieve, lieve mensen,' legde toen eindelijk de zalvende, warme, met alcohol doordesemde stem van volksschrijver Gerard Reve de zaal stil. Hij begon langzaam maar overtuigend op de menigte in te praten. Al gauw stond hij als enige op het podium, in de zaal ging iedereen zitten (behalve Cees Nooteboom want die zat vanwege zijn pijprokende vriend vast op het vliegveld van Havana), en overal werd ademloos naar Reve geluisterd. Hij gaf toe dat Maarten 't Hart verdwenen was, harteloos uit hun midden was gerukt, maar hij roemde 't Hart om de kracht die hij had gehad, de moed waarmee hij toch maar in de schijnwerpers was gaan staan met slecht geschoren benen. Reve hield zijn troostende betoog in zo een schitterende taal, met zulke welluidende zinsconstructies, zulke prachtig gekozen woorden, zulke doordachte metaforen, zulk een kunstige wendingen, dat iedereen, elke schrijver en dichter er even onverholen trots op was in het Nederlands te mogen schrijven. 'Onze Maarten is niet meer bij ons,' besloot Reve, 'maar wij zijn wel bij hem.'

Langdurig bleef het stil in de kantine van het kasteel. Men liet Reves woorden op zich inwerken. Iedereen was het gespannen gevoel kwijt, ja zelfs was er enige teleurstelling te bespeuren onder enkele schrijvers dat zij niet in Maartens pumps hadden gestaan.

Nadat Reve het podium had verlaten, pakte Boudewijn Büch eindelijk oprecht enthousiast de microfoon, en zei: 'Hoe kunnen we deze avond beter besluiten, dan om het er allemaal uit te swingen? Heb hart voor 't Hart, en swing mee!'

Plug- en snoerwonder Gerrit 'Stopcontact' Krol zette wat dance-classics uit de Roaring Twenties op, de stoelen werden aan de kant geschoven, Jan Cremer ontfermde zich over Mensje van Keulen, en al gauw was Maarten 't Hart vergeten...

Enkele uren later lag iedereen moe maar voldaan en dronken in zijn slaapzak.

Een Frühstuck No Future is een ontbijt dat in enkele grote roemruchte Europese hotels wordt geserveerd. Een Frühstuck No Future wordt besteld door mensen met een enorme kater.

In de ontbijtzaal van het kasteel d'Hoeg'n Bierg was het Frühstuck No Future voor en Frühstuck No Future na. In tegenstelling tot het omineus kolossale ontbijt dat onder de naam Frühstuck No Future in grote hotels wordt geserveerd (bestaande uit: 1 glas verse sinaasappelsap, 1 glas mineraalwater, 1 dubbele espresso, 1 glas cognac, 1 alcazeltzer, 1 sigaar, 1 pak kaakjes en 1 ochtendkrant), bestond het ontbijt in kasteel d'Hoeg'n Bierg uit veel minder. Uit 1 glas troebel water en 1 plak Grunkrenkoe, om precies te zijn. Er werden klaagzangen aangeheven en er werd gesmeekt om stilte, want bijna iedereen had een kater. Dichter Simon Vinkenoog, pillendraaier/Marion Bloems grootste fan/kwakzalver/maar vooral schrijver Ivan Wolffers en jeune premier Joost Zwagerman hadden de handen ineen geslagen en ze verdienden goud geld met hun handeltje in aspirine, vitamine B, paracetamol en nog meer leuke pilletjes die ze in de medicijnkast van de kampleiding hadden gevonden.

Om half elf was het verzamelen op het bordes. Overal hadden de mannen van de kampleiding tafeltjes en stoelen neergezet. Hoofdonderwijzer Tom van Deel liet iedereen plaatsnemen. Op elk tafeltje lag pen en papier.

'Om te beginnen: er wordt niet afgekeken. Plagiëren doe je maar in je eigen tijd. Goed, ik ga jullie zo meteen enkele opdrachten geven en die moeten jullie zo goed mogelijk volbrengen. Denk erom: we zoeken de beste schrijver van Nederland.

Opdracht één is een makkie, om er een beetje in te komen. Geef in vijftig woorden een metafoor voor de dood. En niet stiekem citeren uit eigen werk, Wiel Kusters. Gewoon even iets nieuws bedenken.'

Een zucht van opluchting ging over het bordes, de schrijvers hadden wel voor hetere vuren gestaan. Opgetogen gingen ze aan het werk. Alleen Yvonne Kroonenberg zat zenuwachtig op haar stoel te wiebelen.

'Wat is een metadinges?' vroeg ze fluisterend aan Hella Haasse.

Hella Haasse legde haar elleboog op tafel, om haar antwoord af te schermen.

'Hè, toe nou, leg het even uit,' drong Yvonne Kroonenberg aan.

'Ja. Kroonenberg,' riep surveillant Goedegebuure, 'kom maar naar voren.'

Beschaamd stond Yvonne Kroonenberg van haar tafeltje op en liep naar voren.

'Zo,' zei Goedegebuure en hij sloeg zijn armen over elkaar, 'vertel maar wat er zo vreselijk belangrijk was, dat je het aan je buurvrouw moest vragen.'

'Ikke lemmulilamoors,' murmelde Kroonenberg, gespannen in een andere richting kijkend.

'Wat zeg je? Ik kan je niet verstaan.'

'Ikke lemmulilamoors,' herhaalde Kroonenberg, met dezelfde intonatie als de eerste keer.

'Doe je mond eens open als je praat, Kroonenberg. Nou, kom voor de dag ermee. Zeg op.'

'Ikweniwatunmetadoris,' zei Kroonenberg nog sneller dan normaal.

'Wat? Spreek eens wat langzamer.'

'Ik weet niet wat een metadoor is,' zei Kroonenberg en er biggelde een traan over haar wangen.

'Ach,' zei Goedegebuure troostend, 'weet je niet wat een metadoor is? Meisje toch. Ik weet ook niet wat een metadoor is. Bert, weet jij wat een metadoor is?' Goedegebuure keek vragend in de richting van Vijftiger Bert Schierbeek.

'Ik?' vroeg Schierbeek.

'Nee, Bert, leuk geprobeerd, maar het is niet goed. Oek, weet jij het misschien? Wat is een metadoor?' vroeg Goedegebuure aan Oek de Jong.

'Een stierenvechter die aan doping doet?' probeerde Oek, maar hij zag zelf al in dat het een vergeefse poging was: 'Nee? Nou, dan weet ik het ook niet.'

'Heel goed, je weet het niet. Niemand weet ook wat een metadoor is. Het geeft niks, Yvonne. Niemand weet wat een metadoor is.'

'Echt waar?' zei Kroonenberg en veegde haar wangen droog.

'Nee,' zei Goedegebuure zachtjes en hij vervolgde bulderend: 'MAAR EEN METAFOOR! JE WEET TOCH VERDOMME WEL WAT EEN METAFOOR IS?! Een paar honderdduizend boeken verkocht, en mevrouw weet niet wat een metafoor is!'

Kroonenberg stond te schokschouderen van schrik.

'Ik... ik... ik...'

'Ga maar weg,' besloot Jaap Goedegebuure, 'ga maar gewoon weg. Als je je al zo slecht hebt voorbereid, kun je de andere vragen vast ook niet maken. Voor dit onderdeel haal je een 1. Ga maar naar je tent.'

Met gebogen rug (maar mooie benen) strompelde Kroonenberg naar de door haar zo verfoeide tent.

'Zo, klaar? Mooi! En dan nu de tweede opdracht van deze test,' ging Tom van Deel verder. 'Geef een omschrijving van A) proteron husteron; B) hendiadys; C) Reader-response criticism; D) intertextualiteit; E) het gethematiseerd identificatiepunt; F) vervreemdingseffect; G) interpretatie van betekenistoekenning; en H) de auctoriale vertel-instantie. Nou, en dan zal ik I) maar schrappen, om jullie tegemoet te komen. Aan het werk!'

Deze opdracht werd aanmerkelijk minder goed ontvangen. Iedereen zat zuchtend en wanhopig om zich heen kijkend achter zijn tafeltje.

'Een proteron husteron?' zei Jan Cremer hardop, 'ik geef het op en peins me kapot.'

'Een hendiadys?' vroeg Jules Deelder ontzet, 'daar kan ik dus echt pis en nijdig van worden.'

'De reader-response criticism?' verzuchtte Atte Jongstra. 'Wat een academisch gelul. Denk toch eens wat meer aan de lezer.'

'Intertextualiteit?' vroeg Hubert Lampo, 'is dat niet gewoon een ander woord voor jatten?'

'Het gethematiseerd identificatie-punt?' schreeuwde Bas Heijne, maar net boven tafel uit, 'moet ik daarover schrijven?'

'Vervreemdingseffect?' meda raan keebreihcS treB etpah.

'Interpretatie van betekenistoekenning?' kermde Limburgs trots Wiel Kusters, 'dat kan ik niet duiden, hoor.'

'De auctoriale vertelinstantie?' vroegen wij, en iedereen liet ons met rust.

Na veel gepuf en gesteun had iedereen iets op zijn blaadje staan. Tom van Deel vroeg om aandacht, en hij gaf de laatste opdracht.

'Voor deze laatste opdracht krijgen jullie de rest van de dag de tijd. Ik denk dat jullie het allemaal wel leuk zullen vinden. Schrijf een vrolijke korte roman of een stuk of wat limericks over je leukste vakantie. Je tekst moet minstens dertigduizend woorden tellen. En let erop dat je niet teveel en-toen-en-toen schrijft! Veel plezier ermee! O ja, als je het af hebt, lever het dan in, dan ben je vrij.'

En toen begon iedereen ijverig te schrijven, en toen de avond viel, bracht de kampleiding iedereen een waxinelichtje en toen kregen ze ook nog een mok Grunkrenkoesoep. Rond middernacht waren alle schrijvers nog steeds aan het werk, maar de kampleiding was onverbiddelijk: iedereen moest zijn pen neerleggen, er mocht geen letter meer geschreven worden. Uitgeput stapten de schrijvers van het bordes.

'Ik kreeg het niet af, hoor,' zei Oek de Jong tegen Thomas Rosenboom.

'Ik ook niet,' zei Rosenboom en schudde meewarig zijn hoofd, 'volgens mij heeft niemand het af.'

Thomas Rosenboom had bijna gelijk: alleen Ivo de Wijs had het af gekregen, zijn zesduizend limericks waren, met de manuscripten van de andere schrijvers, door de kampleiding ter beoordeling ingenomen. De Wijs liet zich op de ziekenboeg behandelen voor schrijfkramp.

In de tenten werd er driftig nagepraat over deze laatste opdracht. Iedereen kroop bij elkaar in de tent of ging in een kring rond het kampvuur zitten, behalve Cees Nooteboom, want die zat op verdenking van *sexual harassement* vast op het vliegveld van Atlanta.

'Ik vond het hartstikke leuk, zo'n boek schrijven!' zei A.F.Th. van der Heijden tegen Hella Haasse. 'Ik ga het zeker vaker doen!' Iedereen vond het hartstikke leuk, en iedereen ging het vaker doen. Willem Wilmink pakte zijn gitaar en begon oud-Twentse streekliederen te spelen. Na een stuk of vier keer zijn hele repertoire te hebben vertolkt, riep Wilmink dat iedereen mee moest doen. Iedereen kende de refreinen inmiddels uit zijn hoofd, en zodoende zong de hele camping mee en werd het alweer gezellig.

'Nou, dat was gisteren niet zo'n mooie beurt, hè?'

Een van de leiders van de camping op het terrein van het kasteel d'Hoeg'n Bierg, Carel Peeters, liep met een heel klein zweepje in zijn handpalm te slaan. Driftig paradeerde hij voor de verzamelde Nederlandse schrijvers (minus Maarten 't Hart die nog steeds niet terecht was en Cees Nooteboom die niet heelhuids door de metaaldetector van het vliegveld van Moskou was gekomen).

'Niemand, maar dan ook werkelijk niemand heeft gisteren die laatste opdracht volbracht. Niemand, zeg ik jullie. Wel allemaal de schrijver uithangen, wel zich in de media laten bewieroken om hun schrijversstatus, wel signeersessies geven, wel fanmail beantwoorden, wel naar de leuke feestjes, maar als laatste opdrachtje van een simpel testje even een romannetje of eposje schrijven: ho maar. Het meeste van de onzinblubber die jullie gisteren hebben durven inleveren, was te onbenullig om zelfs maar tot stripverhaal te bewerken. En bovendien had geen van jullie manuscripten de limiet van dertigduizend woorden gehaald!'

'Wel waar!' krijste Ivo de Wijs plotseling hevig ontzet. Hij ging wijdbeens staan, stak zijn rechterwijsvinger in de lucht en declameerde:

Er was eens een dichter in Groningen,
te midden van prinsen en koningen
hij deed goed zijn best,
doorstond zo de test,
en wachtte op grote beloningen.

Die zelfde dichter in 't Noorden
die haalde ruim genoeg woorden,
hij leverde in
maar kreeg niet zijn zin
en staat paf van wat hij net hoorde!

Carel Peeters keek Ivo de Wijs enigszins verbaasd aan en sloeg hard met het zweepje in zijn eigen hand.

'Luister, De Wijs,' begon hij als een oude KNIL-commandant, 'dat je niets inlevert, is jouw zaak, maar om hier stennis te gaan schoppen, dat voert te ver. Ik zeg je: je hebt niets ingeleverd. Evenveel als alle andere nietsnutten hier.'

Grauw keek De Wijs hem aan en proclameerde dit keer:

Er leefden wat dichters in tenten
die streden om eer en de centen
maar de jury was zuur
ja zelfs onguur
en dat verpest mooie momenten.

Nu vertrekt er een dichter naar 't Westen
De Wijs laat zich niet langer pesten
hij draait zich nu om
wat zijn jullie dom
hij wenst jullie allen het beste!

De Wijs beende naar zijn tent om zijn rugzak en railactiefkaart te pakken. De achterblijvende schrijvers begonnen te morren. Eens te meer bleek maar weer dat de kracht van het woord sterker was dan tucht en dwang, of zo. De Wijs liep langs het bordes naar de bushalte een paar kilometer verderop. Hij draaide zich nog eenmaal om, en keek Carel Peeters in de ogen.

'En deze ollekebolleke, die me zojuist inviel, wil ik u niet onthouden,' zei hij.

Dit is bespottelijk:
laaghartig roverswerk!
Nu is mijn pennevrucht
foetsie en kwijt

Godverdegodver, die
literatuurmisdaad!
Van deze klerestreek
krijg ik de schijt.

Toen verdween hij in de verte. Op de camping riep Bart Cha-bot: 'Die De Wijs, die heb gelijk.' Er waren er meer die dit vonden. Het nut van dit enigmatische schrijverskamp was ve-len plotseling niet meer duidelijk. Wat deden zij hier eigen-lijk? En masse begon men te joelen en te demonstreren. Er vie-len kreten te beluisteren als: 'We pikken het niet langer!' 'Waarom in pijn en zweet de lasten torsen naar een einde dat ons duister is?' 'Ik ga naar huis als het zo doorgaat.' en: 'Onge-zellig!'

Er was één groepje schrijvers dat deze op handen zijnde exodus toejuichte: de bestuursleden van het Fonds voor de Letteren. Knipogend stonden ze elkaar toe te knipogen, en grijnzend grijnsden ze naar elkaar. Hoe meer schrijvers er weggaan, was de gedachte, hoe meer kans wij maken de Ap-pel te winnen.

Een grote groep schrijvers pakte zijn spullen. Een andere groep protesteerde op het bordes bij de kampleiding. Toen de beide groepen zich verenigden, was de spanning niet meer te houden. Het was Harry Mulisch die voor enige ontspanning zorgde door namens de schrijvers het woord te voeren.

Koddig op zijn pijp knabbelend babbelde hij de leiding en het bestuur toe.

'U heeft ons hier uitgenodigd om deel te nemen aan de Gro-te Wedstrijd, knabbelknabbel. De winnaar is een prijs van ''een appel en een ei'' in het vooruitzicht gesteld. Ik stel voor, en ik weet dat ik dat namens iedereen doe, dat u ons die prijs eens laat zien. Opdat een ieder kan bepalen of hij deze marte-ling nog langer wil doorstaan.'

Stephan Sanders haalde adem om iets te zeggen, maar hij kon zich nog net op tijd inhouden.

Op het bordes volgde een kort overleg tussen de kampleiding en het bestuur. Men kon er niet onderuit. Het was kiezen of de-len. Kester Freriks werd naar de torenkamer gestuurd om daar de Gouden Appel te halen. Beneden wachtte men af. Harry Mulisch knabbelde nog steeds superieur op zijn pijp.

'Dit is hem dan,' zei Kester, het bordes betredend. 'De Appel, de Gouden Appel mag ik wel zeggen.'

Met ontsteltenis keken de schrijvers Freriks aan.

'En het ei? Waar is het ei?' vroeg Tim Krabbé.

'Eh... ja, dat heb ik dus op de trap kapot laten vallen, sorry. Maar het was een gewoon huis-, tuin- en kippeëi, dus niets bijzonders. Dit is de prijs,' zei hij en hij tapte op de appel: 'Echt goud, hoor. Wat kijken jullie nou raar, hebben jullie nog nooit een appel gezien?'

Het was dus waar wat er in het Grachtenroddelcircuit had gegonsd! De schrijvers stonden Kester Freriks nog even met open mond aan te gapen. Enkele seconden later was het veld leeg. De schrijvers wisten niet hoe snel ze hun spullen terug moesten leggen.

En aldus was de zoveelste crisis op het kasteel d'Hoeg'n Bierg bezworen. Gedwee verschenen de schrijvers op het ochtendappel, voor een nieuw onderdeel van de Grote Wedstrijd. Want wie de beste schrijver van Nederland zou worden, was nog steeds niet duidelijk.

Na het ochtendappel verzamelde zich voor de tent van Hella ('Zoefzoef' voor vrienden) Haasse een groepje schrijvers.

'Ik vond het erg goed wat Harry Mulisch zoëven voor elkaar kreeg,' zei Alfred Kossmann, 'nu weet ik tenminste waar ik het allemaal voor doe. Ik bedoel: tot nog toe vind ik het een vernederend samenzijn, maar aan het eind van de rit gloort er een hoge beloning voor mij.'

'Nou en of, het was echt goed zoals Harry de kampleiding en het Fonds voor de Letteren de les las,' zei Gerrit Krol, terwijl hij, met een van Annie M.G. Schmidt geleende bril op, het horloge van Adri van der Heijden zat te repareren, 'schrijversweerbaarheid, dat spreekt me wel aan. We zouden eens wat vaker van ons af moeten bijten!'

Hella Haasse, die ondertussen gezellig tikkend een warme wollen trui voor een van haar kleinkinderen zat te breien, merkte op dat het goed was dat schrijvers eindelijk eens wat van zich lieten horen, dat ze zich niet alles lieten welgevallen, dat alle vernederingen die zíj had moeten doorstaan draaglijk waren geworden door die prachtige Appel. Ze legde haar breiwerk in het gras omdat het water op het buta-gasstelletje begon te koken. 'Willen jullie bosvruchten- of kamillethee?' vroeg ze de heren.

'Bosvruchten, graag,' zei Gerrit Krol zonder een blik van het uurwerk af te nemen, 'waar ik alleen nog een beetje mee zit… Hoe krijg ik dat gevaarte mee naar huis? Zou je nou een extra treinkaartje voor die Appel moeten kopen? Kom, denk eens even mee, help de beste schrijver van Nederland eens eventjes.'

'Wat wil jij, opa?' vroeg Haasse guitig aan F.B. Hotz en ze

streek hem over zijn knie.

'Kamille graag, oma,' zei Hotz met al even olijke pret-oogjes. 'Toch vind ik het mooi: jarenlang heb ik geploeterd, geknokt, me allerlei recensietjes en kritiekjes van een onna-volgbare stoet provinciale minkukels laten welgevallen, en nu mag ik eindelijk de zoete smaak van de overwinning proe-ven.'

Een schrille stem voegde zich bij het gezelschap. 'Jullie mo-gen me feliciteren, hoor,' zei Gerrit Komrij. 'Nog maar nct het geld van de P.C. Hooftprijs er doorheen gejaagd (marme-ren vloertje laten leggen) en hopla, krijg ik een Gouden Appel-tje voor de dorst.'

'Ik vraag me af wat ik met de opbrengst van de verkoop van die Appel ga doen,' vroeg Sybren Polet zich hardop af, 'misschien hoef ik...' hij begon er bijna van te trillen, 'mis-schien hoef ik... wel nooit meer te schrijven! O, heerlijk!'

Het schrijversechtpaar Vonne van der Meer en Willem Jan Otten (allebei een kopje kamillethee) kreeg bijna ruzie over de vraag waar de Appel in hun interieur het beste uit zou ko-men.

'Nee, Weejee,' zei Vonne resoluut, 'het gaat niet door. Je hebt toch zelf in *vt-wonen* gelezen dat je dat soort objecten niet zo prominent moet neerzetten.'

'Maar de mensen mogen toch zien wat voor een prijs ik heb gekregen?' riposteerdc Willem Jan Otten met een weids gebaar.

'Niet iedereen hoeft te weten dat ik die prijs heb binnenge-sleept,' zei Vonne bescheiden, 'ik hou zoiets liever voor me-zelf.'

Voor de tent van Hella Haasse werd het een drukte van be-lang. Haasse zette zelfs een tweede pot thee (frambozen en ki-wi).

'Misschien ga ik van de opbrengst van de Appel wel een reisje maken,' droomde F. Springer weg.

'Ik kan hem natuurlijk ook naar huis proberen te rollen,' ging Gerrit Krol verder, nog ingespannen gebogen over het horloge van Adri van der Heijden.

'Wat zijn jullie toch allemaal egoïstische zwijnen,' riep Mensje van Keulen. 'Ik hè, ik, ik ga die Appel gebruiken om Maarten terug te vinden. Ik zal niet rusten eer ik de beste privé-detective heb ingehuurd. Maarten moet en zal terug!'

'Meisje, meisje,' kalmeerde Hella Haasse haar, 'hier, neem een bakje thee...'

'Het is Mensje, mevrouw Haasse,' zei Van Keulen bits.

Op dat moment lukte het Gerrit Krol eindelijk het horloge van Adri van der Heijden weer aan de gang te krijgen.

'Adri!' schreeuwde hij over de camping, naar de tent van Van der Heijden, die op een kratje bier in een vrolijke bui een riedeltje van Mozart zat te fluiten. 'Je horloge is gemaakt.'

'O, bedankt, Knop!' riep hij terug, 'maarre, dat horloge mag je houden. Van de opbrengst van die Appel koop ik toch een nieuwe...'

Op een riante schommelbank zaten de critici en kampleiders Tom van Deel, Jaap Goedegebuure, Kees Fens en Carel Peeters in een schaduwrijk plekje op het bordes te luisteren naar de gesprekken tussen de tenten.

'Ik vind het geen positieve ontwikkeling,' analyseerde Jaap Goedegebuure, 'er is nog geen enkel spelonderdeel geweest waar een duidelijke winnaar is uit voortgekomen, en zij denken allemaal dat ze de prijs al in hun binnenzak hebben. We moeten eens wat anders proberen. Wat jou, Kees.'

'Eh... Wat jij, Jaap.'

'Nee, ik vraag het nu aan jou, Kees. Wat jou?'

'Dat snap ik wel, maar ik bedoel: wat jij? Wat jullie, jongens?' vroeg Kees Fens aan Carel Peeters en Tom van Deel.

'Wat ons?'

'Nee, wat jij.'

'O, wat wij.'

'Wat wij?'

'Wat jullie! Dat bedoel ik niet, wat jou niet, maar wat jij?'

'Wat jou?'

'Wat wil je nou?'

'Je sprak het niet goed uit. Dat bedoel ik, je maakte een taalfout.'

'Ik, een taalfout? Hoe kom je erbij? Ik maak nooit taalfouten, wat jij, Tom?' zei Jaap Goedegebuure.

'Wat je zegt, Jaap,' zei Tom van Deel, 'dat ben je zelf.'

'We kunnen hier wel flauwe taalspelletjes gaan doen,' maakte Carel Peeters een eind aan het gekibbel, 'waar het om gaat, is dat er hier nog steeds vreemde dingen gebeuren. En wat jullie blijkbaar ook niet doorhebben, is dat binnen de kortste keren de vlam in de pan slaat.'

'Neem me niet kwalijk,' zei A.C. Baantjer, 'maar toevallig hoorde ik per abuis vanuit mijn schuilplaats per ongeluk wat u tegen elkaar zei.' Hij liet zich onopvallend uit een boom vallen, maakte een geroutineerde draai om de klap op te vangen en dat hij hierbij een zeventiende-eeuws salontafeltje, een staande (volle) asbak, een dessertwagentje, een Ming-vaas, een kristallen champagnekoeler en een halflege fles Fanta Light omkegelde, deed even niet ter zake.

'Kun je niet uitkijken, eikel!' beet Tom van Deel hem toe. 'Mijn vriend Fanta, goddomme.'

Baantjer klopte achteloos de scherven en splinters van zijn jasje en keek de kampleiding scherp aan: 'Vreemde dingen, inderdaad... Dat klopt, rare voorvallen. Verdachte personen, slachtoffers. Hoe staan de zaken erbij?' Hij tikte met zijn pijp een marmeren Amor-beeldje kapot.

'Bemoei je met je eigen zaken, vandaal,' knauwde Peeters in zijn richting.

'Vandalisme... sterke optie. Maar er is hier meer aan het handje. Het belangrijkste waar wij mee te maken hebben, is een slachtoffer. Ik zal u iets vertellen wat voor de heren wellicht misschien een ietsje moeilijk te volgen is. In de criminonologie is het inmiddels een vaststaand feit dat onweerlegbaar is. Duidelijk?'

Baantjer rommelde in de zakken van zijn regenjas en haalde er een spel Cluedo uit.

'Ik heb het even schematisch uitgewerkt. Hebben we a) een slachtoffer, dan komen via b) wapen, zijnde bijvoorbeeld onder andere een Engelse sleutel of meer van dien aard, bij c). Heren ik dank u voor uw aandacht, en ik hoop dat u begrijpt dat ik al iets begin te vermoeden.'

'Zou u, gekke vraag hoor,' merkte Goedegebuure op, 'zou u dat laatste punt c) eens kunnen specificeren?'

'Aha! Meneer leest ook wel eens een trillertje, en denkt onmiddellijk dat hij er verstand van heeft. Punt c) is... de dader. Of de daders, als u begrijpt wat ik bedoel.'

Uitdagend keek hij de kampleiders een voor een aan. Hij probeerde scheel te kijken en gooide zijn pijp behoedzaam door de kostbare gebrandschilderde ramen van de salon.

'O neem me niet kwalijk. Ik dacht dat het mijn sigaar was,' verontschuldigde hij zich.

Op dat moment kwam Tim Krabbé aan rennen. Hijgend bracht hij uit: 'Een boodschap! Er staat een boodschap geschreven op de muur van het kasteel. Het heeft met Maarten 't Hart te maken.'

Gevieren sprongen de kampleiders van hun schommelbank en zij renden met Krabbé mee. A.C. Baantjer staarde hen verbaasd na en haalde zijn schouders op. Hij begon al iets te vermoeden.

'Daar!' zei Tim Krabbé opgewonden. Uitgeput stonden de kampleiding en een half peloton schrijvers bij de slotgracht naar het kasteel d'Hoeg'n Bierg te kijken. Aan de overkant van het water had iemand op de eeuwenoude dikke muur met een rode spuitbus een tekst gespoten.

'Maartje was here,' las Tom van Deel hardop. 'Dat lijkt me een intertextuele verwijzing naar de alom bekende Killroy, denken jullie niet? En refereert de kleur niet aan Maartjes lippenstift? En wat betekent ''Maartje was here''?'

'Zou Maarten die tekst zelf op de muur hebben gespoten?' vroeg Kees van Kooten zich hardop af. Mensje van Keulen kwam er niet uit. De andere mensen ook niet. Hoofdschuddend ging ieder zijns weegs. Eén schrijver bleef nog een tijdje bij de slotgracht rondhangen. Hoe zou iemand in godsnaam bij die stenen hebben gekund? vroeg hij zich af.

Woest probeerde Vic zijn tanden in de nek van Benno te zetten. Benno weerde af en deed een uitval naar de benen van Vic. Het bloed uit de gapende wond van Vic vermengde zich met het schuimende slijm uit de bek van Benno.

W.F. Hermans stond erbij te hoesten.

'Dat pik je toch niet!' moedigde hij Vic aan. 'Pak hem, labbekak!'

De ruzie in het veld werd er niet minder om. Vic trok zijn lip omhoog en liet zijn tanden zien om duidelijk te maken dat hij niet bang was. Benno sloeg weer toe, bloeddorstig sprong hij Vic op de rug.

Vergenoegd keek W.F. Hermans naar de vechtende pitbulls.

'Wat is de natuur toch mooi,' verzuchtte hij hoestend.

Toen de honden waren uitgevochten, stak hij een sigaret op, nam één trek en gooide de tot aan de filter opgerookte peuk in het gras. Hermans verveelde zich. Uit pure balorigheid gooide hij een steen in de richting van het kamp Mulisch.

'Mis,' stelde hij teleurgesteld vast.

Wat kon hij gaan doen? Stukkie schrijven. Nee, geen zin. Stukkie lezen. Nee, al jaren niet meer gedaan. En van wie, in godsnaam. Lekker zich aan mensen ergeren? Ja! Daar had hij zin in. Maar goed, daar had hij altijd zin in, *so what's new*? In de verte zag hij Piet Grijs lopen. Aha! Verblijd wreef hij in zijn handen.

'Gr... Gr...,' gromde hij. 'Piet!' riep hij er achteraan en hij floot tussen zijn tanden.

Aanvankelijk wilde Piet Grijs doen alsof hij het gefluit en het sarrende geroep van Hermans niet hoorde, toen vluchten echter niet meer kon, liep hij hem maar tegemoet.

'Zo, Pietje...'

'Zo, Vl... Vl... Vl...*' probeerde Piet Grijs, maar hij zei dit met zo weinig overtuiging dat zijn woorden vervlogen in de wind.

'Pietje...' zei Hermans wel een keer of dertig, ondertussen Piet Grijs tussen zijn schouderbladen slaand, 'Pietje, hoe is het nou toch met je? We hebben je gemist, Pietje.'

Piet Grijs begon zich lichtelijk ongemakkelijk te voelen.

'Weet je, Piet,' begon Hermans, 'weet je wie ik net zag lopen? Nou, wie? Battus zag ik lopen. Ken je die? Die had namelijk van Raoul Chapkis gehoord dat hij helemaal geen Piet Grijs heet. Ik heb dat net even aan Hugo Brandt Corstius gevraagd, en die zei dat volgens Victor Baarn drs. G. van Bueren zou hebben verspreid dat G. Prijs roept dat Jan Eter het pseudoniem is van Juha Tanntu, aldus Dolf Cohen, zei Stoker. Raar, hè?'

Piet Grijs trok langzaamaan wit weg. Toen blauw. Hij giechelde almaar.

'Pietje, Pietje, Pietje,' hoestte W.F. Hermans, die Piet Grijs over zijn schouder begon te strelen. Zachtjes kneep hij in zijn nek.

* Opperlands voor: 'Vliegepoepje'

'Oei, wat een fijngevormd nekje,' merkte hij op toen hij zijn schrijversknuist in de hals van Grijs legde.

'Ben jij bang voor mij?' vroeg Hermans grijnzend. Piet Grijs wilde iets zeggen, maar hij werd overstemd door Hermans' gehoest.

'Wat was dat nou met dat… vliegepoepje?' vroeg Hermans dreigend toen hij uitgerocheld was. Het nekje van Grijs hield hij nog steeds in zijn hand.

'Je moet me niet pesten, joh,' kreunde Piet Grijs.

Hermans' greep schroefde aan. 'Oh nee, Grijs?' siste hij, 'zeg op vent: hoe heet je nou echt?'

'V… V…' kermde Grijs moeizaam. Hij stikte bijna.

'Ja, v-v? Kom op Grijs, je kan het wel! Zeg het maar…'

'Vliegepoepje' bracht Grijs met heel erg veel moeite uit. Toen verloor hij het bewustzijn.

'Zeg, heeft iemand Hugo gezien?' vroeg Tessa de Loo aan het handjevol schrijvers dat voor de tent van Jean Pierre Rawie in crisisberaad bijeen was.

'Ja, welke Hugo bedoel je in godsnaam?' zei Kees Stip geërgerd. 'We stikken in de Hugo's hier.'

'Brandt Corstius,' was het antwoord. 'Hij is zoek.'

Niemand zei wat.

Geïrriteerd liep De Loo weer verder. Ze had het zo langzamerhand flink gehad met dat groepje tuig op dat rotkasteel. Hadden ze die stomme Appel nou maar toch gewoon in partjes gehakt. Of weggemikt, dacht ze grimmig.

Even later verzamelde het bestuur van het Fonds voor de Letteren zich in het torenkamertje van het kasteel om, op verzoek van Tessa de Loo, te vergaderen over 'hoe het nu verder moest'.

Kester Freriks kon de bezorgdheid van Tessa de Loo niet delen. 'Hoe het nou verder moet?' vroeg hij, 'het schiet toch lekker op zo? Het dunt goed uit, lijkt me. Eerst 't Hart die kwijtraakt, dan De Wijs die z'n biezen pakt en nu zijn we ook al van die vervelende Brandt Corstius verlost. Ik zie het probleem niet, hoor.'

'Helemaal mee eens,' vond H.C. ten Berge, 'niet dat die drie paljassen er iets toe deden, maar opgeruimd staat netjes.'

'Juist,' viel Louis Ferron bij, 'als dat zo nog even doorgaat, ben ik... eh, zijn wij aan het eind van de week als enigen over.'

'Hebben jullie dan helemaal geen gevoel in je donder?'

Het bleef stil. Hier moesten de heren even over nadenken.

'Nou, nee,' stelde Ferron tevreden lachend vast, 'als het om vijfeneenhalf miljoen gulden gaat, sta ik niet te lang stil bij de verdwijning van een mislukte travestiet, een saaie, versjesopdreunende wadloper en al helemaal niet bij een stotterende psychopaat die zich wetenschapper noemt en die zich alleen maar bezighoudt met het tellen van woorden, lettergrepen en aan zijn adres gemaakte beledigingen.'

'Maar het gaat hier om mensenlevens! Collega's.'

'Collega's, me reet!' zei Ten Berge fijntjes. 'Dacht je nou echt dat ik me ook maar één moment om dat stelletje prutsers...' Hij werd onderbroken door gemorrel aan de deur. Ontzet keken de bestuursleden elkaar aan. Alleen Louis Ferron hield het hoofd koel. Met een simpel handgebaar beduidde hij de rest zich stil te houden. Hij boog zich naar de anderen toe. Zijn ogen stonden strijdlustig. 'Kester,' fluisterde hij, 'ga eens kijken wie daar is...'

'Ja, dank je lekker,' zei deze, 'ga zelf maar, held.'

Ferron keek zijn vriend ongelovig aan. Hier had hij niet op gerekend. 'Oké, goed!' riep hij toen, ongewoon hard, 'dan ga ik wel! En wel nu! Het kan niet lang meer duren! Ze mogen wel uitkijken! Daar kom ik hoor! IK KOM ERAAN!' Hij schreeuwde het bijna uit, onderwijl zich aarzelend naar de deur bewegend.

'Ja, ga nou maar,' zuchtte Ten Berge vermoeid.

'SSSST!' Ferron deed zijn best zo streng mogelijk te kijken. Toen haalde hij diep adem, opende de deur, keek om het hoekje... en bleef bijna dood van schrik. Ondertussen stond Cees Nooteboom nog steeds om onbekende redenen op het vliegveld van Calcutta, maar dit geheel terzijde.

Vliegensvlug deed Louis Ferron de deur van het torenkamertje van kasteel d'Hoeg'n Bierg weer dicht.

'Verschrikkelijk,' was het enige dat hij uit kon brengen.

H.C. ten Berge kon zijn nieuwsgierigheid niet langer bedwingen en liep naar de deur. Voorzichtig deed hij die open. Lang keek hij in het halletje voor de torenkamer, daarna keerde hij zich traag naar Tessa de Loo, Kester Freriks en de in een shock verkerende Louis Ferron.

'Weten jullie of Oek de Jong aan SM doet?' vroeg Ten Berge uiteindelijk.

'Niet dat ik weet, nee,' antwoordde Tessa de Loo, die in dat soort zaken erg thuis is.

'Is er een fatwa over hem uitgesproken dan?'

Wederom was het antwoord ontkennend.

'O,' zei H.C. ten Berge rustig, 'dan geloof ik dat er iets met Oek aan de hand is.'

'Nou schiet op dan, vent!' bracht Kester Freriks uit. 'Sta daar niet te treuzelen en breng die jongen binnen.'

'Juist,' beaamde Tessa de Loo, terwijl ze lekker op de bank bleef zitten, 'doe iets.'

'Sta daar niet Hachee,' foeterde de bijgekomen Ferron. 'Mankeer je iets aan je handjes, soms?' ging hij verder en hij begon een sjekkie te draaien.

'Je kunt hem daar toch niet zo laten liggen?' zei Tessa de Loo, gapend en zich uitrekkend. 'Oek is ook een mens.'

Na tien minuten elkaar te hebben verwenst en te hebben opgejut, hadden de vier schrijvers nog niets ondernomen. Besloten werd om op de eerstvolgende jaarvergadering als agendapunt op te nemen het vaststellen van een datum waarop een spoedvergadering zou worden belegd, tijdens welke een concept zou moeten worden ontwikkeld betreffende de oprichting van een commissie die zou moeten bepalen wie er in een uitvoerend comité zou moeten komen, dat er voor zou zorgen dat Oek de Jong bevrijd kon worden.

'Heb vertrouwen, op ons kun je rekenen, hoor,' stelde H.C. ten Berge Oek de Jong gerust, 'laat je niet kisten Oek, aanvaard je taak, volvoer haar stil, heb lief en hoop en wees bereid.' Hierop deed hij de deur van het torenkamertje dicht.

'Zo, weer een schrijver in nood geholpen,' stelde Ten Berge tevreden vast. 'Wat een heerlijk beroep hebben we toch.'

De regen verstoorde de voor vandaag op het programma staande wedstrijd Vrachtwagentrekken, belangrijk onderdeel van een van de sub-wedstrijden van de Grote Wedstrijd: de sterkste schrijver van Nederland. Dit was een behoorlijke domper voor de organisatie, en ook voor de AVRO, die de wedstrijd live op de televisie had willen verslaan. Gerrit Jan Dröge, die nog nooit een Boekenbal had gemist (en een boek had gelezen), was voornemens een achtergrondreportage te maken. De schrijvers zaten er niet mee dat de wedstrijd werd uitgesteld. De enige die zich teleurgesteld voelde was Jan Wolkers, die de wedstrijd 'op zijn sloffen' zou hebben gewonnen.

Door de hevige regenval waren de schrijvers genoodzaakt in hun tenten te blijven of in de kantine van het kasteel te kaarten en te dobbelen. Alleen Cees Nooteboom zat in de zon, maar dat was onvrijwillig, op het vliegveld van Athene, waar een staking de boel had lamgelegd.

In de als kathedraal opgesmukte tent van Gerard Reve werd er flink anaal gesekst, goed gezopen en ook, speciaal voor Stephan Sanders, een behoorlijke boom over de wereld en haar problemen opgezet. Ze zaten er met zijn vieren, de paladijnen van Reve: Bas Heijne, Willem Melchior, Stephan Sanders en Hans Warren. Gerard Reve zat in het midden van de tent en hij liet zich druiven voeren, bepotelen, bewaaieren en bewieroken.

'Klein hoerig diertje,' sprak hij toen de tijd daar was tot Bas Heijne, 'breng mij de jongenszweep.'

'Nee! Nee! Niet de jongenszweep,' klonken de heldere sopraantjes in koor. Toch overhandigde Bas Heijne hem gedwee het uit pigmeeënleer gesneden en gevlochten martelwerktuigje. Reve wees een paladijn aan.

'Het enige wat ik vraag, is gehoorzaamheid en onderwerping,' zei hij ferm tot de paladijn voor hem, waarop hij hem gebood op zijn knieën te gaan zitten en de Geheime Bruingeaderde Opening van zijn Tengere Jongenslichaam naar hem toe te steken.

'Lieve overspelige lijfeigene,' ging Reve rustig verder, 'je hebt straf verdiend. Ik wil kleine lichtpaarse striemen maken op de naakte huid van je jongensgat. Je hebt het verdiend, hoor je me? Pak aan! Klein konthoertje.'

De op zijn knieën liggende paladijn onderging Reves geseling gelaten.

'Ik wil je horen smeken!' bracht Reve hortend uit. 'Je bent mijn flagelaat, weet je dat? Ik wil je horen kermen.'

Reve gebaarde de andere paladijnen de tent te verlaten.

'Het wordt tijd dat ik jou eens echt Wreed ga Folteren...' zei Reve en hij lachte kort. 'Ontbloot je Knoestige Knuppel! Ontbloot die Stramme Kabouter. Zal ik je Kleine Jongenszadel bewerken tot dit gloeit, brandt en spant?' ging Reve fluisterend verder en hij pakte een koord. 'Of zal ik je vastbinden?... Ja, dat is een goed plan... Ik ga je Meedogenloos Insnoeren... Het satijnen koord zal diep in je Blanke Vel snijden... Je zult me vervloeken en jezelf vernederen met je smeekbedes. Strepen van Pijn zal het achterlaten, Geheime Jongemannenprins. Met je blonde stem zul je schreien en temen. Je zult me haten en je zult me liefhebben als ik eindelijk zal toestoten met mijn donkerblonde verkrachtersdolk.'

'Heb je dat bij Oek de Jong ook zo gedaan?' klonk het plotseling. Een door het middaglicht omfloerste schim stond in de tentopening.

'En doe die blaffer maar weg, Reve!' ging de stem verder.

Reve knoopte onmiddellijk zijn gulp dicht.

'Ach, mijnheertjer Baan, welk een verrassing. Welkomwelkom. Maar komt u toch alstublieft binnen. Ik zat net in een... goed gesprek met Hans Warren. Nou Hans, sta er niet zo lullig bij, doe een kamerjas aan en haal die konijneoren van je hoofd.'

Met korte nijdige pasjes verliet Warren de tent om eindelijk weer verder te kunnen werken aan zijn dagboek.

'Meneer Reve,' ging A.C. Baantjer onverstoorbaar verder. 'Mag ik u een paar vragen stellen? Routinevragen, niets aan de hand. Weet u misschien wat er met Oek de Jong is gebeurd?'

'Met Jongensprins Oek?' vroeg Reve. 'Ach, mijnheertjer Baan, weet u wat het is, ik zal het u vertellen. Ridder Oek kwam hier zoëven, een paar uur geleden, voor een goed gesprek en wat advies van man tot man. Gewoon wat aandacht voor wat je eet en je figuur. U kent dat wel. Maar ik vond geen gewillig oor bij Kaptein Oek, als u begrijpt wat ik bedoel.'

'En toen heeft u hem maar toegetakeld?' stelde A.C. Baantjer droog vast.

'Nou, toetakelen is het goede woord niet,' zei Reve, 'optakelen, wat dacht u daarvan? Als een kerstboom versierd en opgehangen in het voorportaal van de torenkamer van het kasteel.'

A.C. Baantjer, die zo'n bekentenis eerlijk gezegd niet verwacht had, zocht driftig slikkend wat hij nu verder moest doen, in zijn handboekje *Eerste optreden op de plaats eens misdrijfs* (1930) door W.H. Schreuder, inspecteur van politie eerste klas. Ondertussen liep Gerard Reve op Baantjer af. Terwijl oud-politieagent Baantjer onrustig verder bladerde in het boek van zijn jongere collega, zette Reve hem de konijneoren van Warren op.

'Had u verder nog iets te vragen, mijnheertjer Baan?'

Baantjer begon te trillen.

'Hoe zou u het vinden om eens lekker opgetakeld te worden door een paar van mijn onbarmhartige Jongenssoldaatjes om daarna vrolijk en eindelijk in uniform te bungelen in een of ander voorportaal? Hmm?'

Baantjer schokte met zijn schouders.

'U dacht toch niet dat ik er iets mee te maken had, of wel? Mijnheertjer Baan?' ging Reve luchthartig maar erg dreigend verder.

A.C. Baantjer maakte geen geluid.

'Dat dacht ik ook. Welaan, gaat u nu maar gerust verder met dat onderzoekje van u, en als ik u nogmaals zo goed van dienst kan zijn, wipt u dan gerust weer even aan.'

Baantjer slikte, knikte en liep achteruit het veld op. In de tentopening bleef hij even staan. Gerard Reve gaf hem nog een kleine knipoog.

'Dahag, lekker ding,' zei Reve, en Baantjer verdween.

EEN STREEKVERHAAL

Het eeuwenoude kasteel stond statig en gehuld in nevelen in het prachtige bomenrijke noordse landschap. Op de uitgestrekte weilanden achter het roemruchte slot graasden koeien en schapen vreedzaam. De kantelen van de burcht tekenden zich scherp af tegen de azuurblauwe hemel. Als je niet lette op de beesten in de wei en als je een warme jas aanhad, waande je je aan de Middellandse-Zeekust, dacht Jos van Maanen-Pieters, die erg gevoelig was voor de geuren en kleuren van het land. In een stemming van opperste tevredenheid lag ze op haar buik in het akkerveld, met de handen onder haar wilskrachtige kin. Te kijken naar de bloeiende margrieten en de zoemende libelles. In de verte zag ze de krachtige gestalte van de jonge schrijver Marcel Möring naar het kasteel lopen. Ze wilde dat ze maar net zo vrij als hij was, dat ze kon schrijven wat ze wilde. Maar ja, dat mocht ze niet... Ze werd min of meer gedwongen oubollige liefdesverhaaltjes te schrijven, terwijl ze liever iets vernieuwenders zou produceren, een verhaal van deze tijd dat door *De Groene Amsterdammer* moeiteloos tot nieuwe stroming kon worden gebombardeerd. De Generatie Plus, of zo. Haar gedachten dwaalden af naar vroeger dagen, naar de aloude adellijke families en generaties bedienend personeel die in de loop der eeuwen het kasteel bewoond en bevolkt hadden...

'Josje, Josje!' klonk het door de hal van het kasteel d'Hoeg'n Bierg. Het was de stem van de butler, Frédéric Bastet. Josje, die net met de plumeau de Friese staartklok had afgestoft, schrok op en rende naar de keuken. Al het personeel was aanwezig: de kamermeisjes Charlotte Mutsaers, Astrid Roemer en Fritzi Harmsen van Beek, de tuinman Jan Siebelink, de stalknecht Marcel Möring, de koetsier Geerten Meijsing en de lichtelijk aangeschoten koks Jan Blokker en Remco Campert. Autoritair sprak butler Bastet het personeel toe. Hij wees ieder op zijn taak en drukte allen op het hart de avond tot een succes te maken. Miep van 't Sant, Droste van Goejanpapperveen, zou het hun nooit vergeven als er iets misging tijdens haar groot literair vakantiefeest.

Wat was Frédéric een indrukwekkende man! verzuchtte Josje. Verrukt sloeg ze haar ruw geboende handen in elkaar. Maar hij was toch niets voor haar… Al jaren probeerde ze die vervelende maar knappe stalknecht Marcel Möring van zich af te slaan, Marcello Juan Jean-Pierre Orlando Philippe Claude Francesco Giovanni Battista Cipriano Fabrizio Pomponio Gaspacho Alfonso Leonardo Möring, zoals hij zichzelf jaren geleden in een overmoedige bui had gedoopt. Stijfkoppige Josje bleef hem echter eigenwijs Marcel noemen. Josje had zich voorgenomen zijn hofmakerij te negeren, zolang hij niet beloofde met haar te trouwen…

Al weken had Marcello Juan Jean-Pierre Orlando Philippe Claude Francesco Giovanni Battista Cipriano Fabrizio Pomponio Gaspacho Alfonso Leonardo Möring met het idee rondgelopen, maar haar vragen was er simpelweg niet van gekomen. Marcello Juan Jean-Pierre Orlando Philippe Claude Francesco Giovanni Battista Cipriano Fabrizio Pomponio Gaspacho Alfonso Leonardo had het ook zo druk met de paarden. Ze moesten iedere dag gevoerd worden, en verzorgd, en de Droste stond erop dat ze ook nog iedere dag geroskamd werden. Vooral Optiebeurs Miranda was een roskamgrage volbloed.

Eens zou de dag komen dat hij zelf zoveel paarden bezat, met een knecht die ze verzorgde, had Marcello Juan Jean-Pierre Orlando Philippe Claude Francesco Giovanni Battista Cipriano Fabrizio Pomponio Gaspacho Alfonso Leonardo zich in zijn jonge jaren voorgenomen. 'Voor zowaar ik Marcello Juan Jean-Pierre Orlando Philippe Claude Francesco Giovanni Battista Cipriano Fabrizio Pomponio Gaspacho Alfonso Leonardo Möring heet,' zwoer Marcello Juan Jean-Pierre Orlando Philippe Claude Francesco Giovanni Battista Cipriano Fabrizio Pomponio Gaspacho Alfonso Leonardo plechtig, 'zal ik met minder geen genoegen nemen!' Dat was Marcello Juan Jean-Pierre Orlando Philippe Claude Francesco Giovanni Battista Cipriano Fabrizio Pomponio Gaspacho Alfonso Leonardo's grote verlangen, voor minder deed hij het niet. Hoewel, Marcello Juan Jean-Pierre Orlando Philippe Claude Francesco Giovanni Battista Cipriano Fabrizio Pomponio Gaspacho Alfonso Leonardo kon nog steeds vol vuur raken van de paarden, en hij wist heus wel dat als hij met zijn sterke, ontblote bovenlichaam zwetend in de stal stond, iemand hem schalks aan het bespieden was. Josje, om precies te zijn. 's Nachts droomde hij wel eens dat hij samen met haar de strontplaggen uit de ondergescheten stallen baggerde, en dat Josje hierbij zacht zijn naam fluisterde, maar eenmaal wakker verdrong hij dat soort gedachten snel.

Nu was de dag gekomen waarop Marcello Juan Jean-Pierre Orlando Philippe Claude Francesco Giovanni Battista Cipriano Fabrizio Pomponio Gaspacho Alfonso Leonardo haar eindelijk ten huwelijk zou vragen. Hij had zich voorgenomen om dat te doen, na afloop van het groot literair diner, tijdens het groot literair bal dat zijn dame Miep van 't Sant, Droste van Goejanpapperveen, die avond zou geven. Eindelijk zou hij Josje in zijn armen kunnen sluiten, mijmerde Marcello Juan Jean-Pierre Orlando Philippe Claude Francesco Giovanni Battista Cipriano Fabrizio Pomponio Gaspacho Alfonso Leonardo...

'Marcello Juan Jean-Pierre Orlando Claude Francesco Giovanni Battista Cipriano Fabrizio Pomponio Gaspacho Alfonso Leonardo, kom eens hier,' klonk het uit het koetshuis, maar Marcello Juan Jean-Pierre Orlando Philippe Claude Francesco Giovanni Battista Cipriano Fabrizio Pomponio Gaspacho Alfonso Leonardo werkte onverstoorbaar verder.

'Marcello Juan Jean-Pierre Orlando Claude Francesco Giovanni Battista Cipriano Fabrizio Pomponio Gaspacho Alfonso Leonardo, hierkomen!' klonk het nu dringender uit het koetshuis, maar Marcello Juan Jean-Pierre Orlando Philippe Claude Francesco Giovanni Battista Cipriano Fabrizio Pomponio Gaspacho Alfonso Leonardo bleef zonder op te kijken doorwerken.

'O... sorry...' riep nu de stem van koetsier Geerten Meijsing uit het koetshuis, 'ik bedoel natuurlijk: Marcello Juan Jean-Pierre Orlando *Philippe* Claude Francesco Giovanni Battista Cipriano Fabrizio Pomponio Gaspacho Alfonso Leonardo, kom eens hier, als je wilt.' Nu gooide Marcello Juan Jean-Pierre Orlando Philippe Claude Francesco Giovanni Battista Cipriano Fabrizio Pomponio Gaspacho Alfonso Leonardo zijn hooivork op de grond en rende naar het koetshuis, waar Geerten Meijsing de dilligence stond op te poetsen.

'Ik heb de ringen,' zei Geerten Meijsing samenzweerderig.

De maan scheen. De sterren ook. Het was een erg romantische avond. Het diner was een succes en alle literaire grootheden waren op het bal geweest, behalve Cees Nooteboom, wiens koetsje bij Gasselternijveenschemond in de modder was blijven steken.

Nu waren alle gasten verdwenen en was zelfs het meeste personeel al naar bed. In een nis van de balzaal trok Marcello Juan Jean-Pierre Orlando Philippe Claude Francesco Giovanni Battista Cipriano Fabrizio Pomponio Gaspacho Alfonso Leonardo Josje naar zich toe.

'Josje, ik wil je iets heel belangrijks vragen,' zei hij en hij nam haar in zijn armen. 'Josje, wil je met me trouwen?'

Smachtend en met troebele ogen keek ze hem aan.

'O, Marcel...' fluisterde ze.

Aiaiai! 'Marcel': het knisperde in zijn oren. Nog voor Josje haar antwoord af kon maken, dreunde er een zware stem door de lege balzaal.

'Neen, Marcello Juan Jean-Pierre Orlando Philippe Claude Francesco Giovanni Battista Cipriano Fabrizio Pomponio Gaspacho Alfonso Leonardo Möring, ze is van mij! Hoor je me?!' Het was de butler, Frédéric Bastet!

Op een drafje huppelde Josje van Maanen-Pieters, eindelijk gelukkig, naar Bastet toe. Ze kusten elkaar vurig en nog urenlang stonden ze in een verzengende omstrengeling.

Marcello Juan Jean-Pierre Orlando Philippe Claude Francesco Giovanni Battista Cipriano Fabrizio Pomponio Gaspacho Alfonso Leonardo liep verslagen naar de slotgracht en wierp daar de ringen in. Of hij ooit nog zelf zijn paarden en een stalknecht heeft gehad, weet niemand...

'Beet! Beet!' schreeuwde Maarten Biesheuvel en hij trok zijn werphengel omhoog.

Jos van Maanen-Pieters schrok wakker uit haar droom. Vlak naast haar bungelden aan een haakje twee gouden ringen.

'Maar... dat zijn de ringen van Marcello Juan Jean-Pierre Orlando Philippe Claude Francesco Giovanni Battista Cipriano Fabrizio Pomponio Gaspacho Alfonso Leonardo,' waren haar verbaasde woorden.

Wie is hier nu eigenlijk gek? dacht Maarten Biesheuvel, volgens mij zijn het de ringen van Mensje van Keulen. Hij gooide de ringen bij de andere vissen in het leefnet. Boven het kasteel trokken donkere wolken samen.

Iedere schrijver op het kamp lag al in zijn slaapzak en las bij het zwakke licht van een zaklamp nog vlug even enige regels uit eigen werk. In de kantine van het kasteel d'Hoeg'n Bierg echter zaten vier mannen onverdroten te kaarten en te drinken. Het werd later en later. De rook van zware shag en havanna's vulde de ruimte. De flessen Four Roses raakten leger en leger. De kaarten werden in hoog tempo op het tafelblad geworpen. Een buitenstaander zou gedacht hebben dat het er achteloos aan toeging, maar dit was slechts uiterlijke schijn, want de spanning was te snijden. Aanvankelijk werd er gespeeld om de eer, natuurlijk, maar later werd het ernst. Toen stond er geld op het spel.

Terwijl de mannen (een schilder, een beeldhouwer en twee Belgen) aan het kaarten waren, kwamen er een paar vlotte meiden binnen: Marja Brouwers, Carla Bogaards, Emma Brunt en Marjan Berk, ook wel de vier vrolijke B's.

'Hai, guys,' zeiden ze tegen Jan Wolkers, Hugo Claus, Jef Geeraerts. 'Dag, meneer,' was het tegen Jan Cremer. De mannen keken even naar de ingang.

'Hè, het was zo saai op de camping,' verduidelijkte Marjan Berk, die haar haar volgens de modelijn van de jaren vijftig in een suikerspin had zitten, 'al die mannen missen hun vrouw, ze zijn klaarwakker en liggen zich alleen maar een beetje zielig af te vragen wat er morgen zal komen. Dat is niets voor ons. Wij willen dansen, wij willen plezier, wij willen *action*.'

'Heel fijn,' zei Jan Cremer droog, en de kerels draaiden zich weer terug naar de tafel om onverstoorbaar verder te toepen. In de pot zat ƒ 13,75.

De meiden verzamelden zich rond het door Gerrit 'Knop' Krol tot juke-box omgebouwde clavecimbel en zetten 'Ritme van de regen' van Rob de Nijs op. Terwijl zij op het dansvloertje begonnen te swingen, speelden de mannen verder.

'Ik kan niet goed kaarten als er niet een lekker mokkeltje op mijn knie zit,' begon Jan Cremer hij somber, 'om over andere lichaamsdelen maar te zwijgen.'

Hugo Claus schonk nog wat flessen bourbon uit.

'Hé wijfies,' riep Jan Cremer naar de vrolijke B's, 'ik hou wel van een beetje Rubensachtige figuurtjes. Komen jullie eens even bij de mannen zitten.'

'Bij u, meneer?'

'Lekker op mijn warme kussentje. Gaan we even wat plezier maken.'

'Moeten we bij u op schoot komen zitten, opa? Houdt uw prostaat dat wel?' vroeg Emma Brunt beleefd en bezorgd.

'Bewaar die grote mond maar voor iets anders,' riep Cremer, 'nou komt er nog wat van, of moet ik jullie komen halen?'

'Als u uw stok kunt vinden…' probeerde Carla Bogaards.

'Daar hoef ik echt niet naar te zoeken, moppie. En nou hierkomen, of ik laat jullie alle hoeken van de kantine zien. Rectaal wel te verstaan.'

'Awel, Cremer, deelt ge nog of wilt ge alenig met zonun troelke poepen?' vroeg Jef Geeraerts.

De vier vrolijke B's moesten onbedaarlijk giechelen om deze opmerking. Cremer kreeg een rood hoofd en draaide zich naar Geeraerts, langzaam zei hij: 'Een Cremer deelt wanneer hij moet delen, Belg.'

'Goedgoed, ieder zijn deel,' haastte Geeraerts zich lachend te zeggen.

Er werd gedeeld en gespeeld, de spanning was bijna onhoudbaar. Op een gegeven moment hadden de schrijvers al hun royalties en voorschotten ingezet, zodat er ƒ 123,50 en 37 Belgische francs en een paar broeksknopen van Jan Cremer in de pot zaten. Ze besloten om van het geld nog een paar flessen drank te kopen en het toepen het toepen te laten ('We laten het toepen het toepen,' zei Jan Wolkers).

De meiden waren uitgedanst en kwamen bij de gozers aan tafel zitten. Er ontstond een beetje een branieachtige sfeer. Voor de jongens was het blijkbaar nodig om uit te maken wie er de leukste en de stoerste was. Het leek weer begin deze eeuw, toen hun geruchtmakende debuten net verschenen waren en ze in cafés bewonderd werden. De tijd dat hen letterlijk het hemd van het lijf gevraagd werd.

'Om over andere kledingstukken nog maar te zwijgen,' merkte Jan Cremer met een schalkse knipoog op.

De meisjes zaten geboeid knikkebollend te luisteren. Met veel te weinig overgave vochten ze tegen de slaap.

'Ik wed dat jij het niet durft om op het campingveld over de tent van Carel Peeters heen te springen,' riep Jan Wolkers.

'Oh nee? Oh nee? Waar willege om wedden?' schreeuwde Jef Geeraerts.

'Om Marjan Berk!' schreeuwde Wolkers terug.

Jef Geeraerts stond op en zei plechtig: 'Awel, volgt u mij maar.'

De meisjes waren danig onder de indruk van deze stoere mannenpraat en legden vol bewondering hun hoofden op tafel.

De vier mannen liepen via het bordes naar het kampeerterrein.

'Doar hebbekik geene groten aanloop vrnodig,' zei Jef Geeraerts zelfverzekerd, toen ze bij het éénpersoonstentje van Carel Peeters waren aangekomen. Hij deed een paar stappen achteruit en rende hard in de richting van de tent, toen sprong hij op en eer hij er erg in had, lag hij met zijn volle gewicht op het fragiele lichaam van Carel Peeters. Een hoge stem schalde over het veld. Jef Geeraerts stond vliegensvlug op, brak hier en daar een been, en maakte zich met de andere mannen uit de voeten. Toen Carel Peeters zichzelf eindelijk krijsend uit de tent had gevouwen, zaten de mannen alweer hoog en droog in de kantine.

Opnieuw werden de glazen volgeschonken, de meisjes lagen nog steeds, met dicht toegeknepen ogen, ademloos te luisteren.

Niemand weet hoe het in zijn werk gaat, het lijkt wel of er een chemische reactie plaatsvindt, een soort osmose tussen enkele mensen, alsof er iets hogers in het spel is, maar soms is er opeens een even onafwendbaar als onbezonnen idee…

'Laten we die appel jatten,' had een van de schrijvers gezegd. En even later stonden ze gevieren onderaan de wenteltrap naar de torenkamer.

Zachtjes tikte de regen tegen het zolderraam, voor de deur van het torenkamertje stonden vier echte mannen. Dronken mannen waren het, maar echte dronken mannen. Jan Cremer, Jef Geeraerts, Hugo Claus en Jan Wolkers waren in ganzenmars de lange trap opgelopen.

'Denk je niet dat de appel bewaakt wordt?' fluisterde Jan Cremer niet bepaald heldhaftig.

'Ik ben niet bang voor die nufte mannetjes van het Fonds voor de Letteren,' zei Jan Wolkers, die helemaal achteraan stond.

'Luster,' zei Jef Geeraerts tegen Jan Cremer, 'ik denk dawwe dunne meeste weerstand kunnen verwachten van dien Tessa de Loo. Als gij nou uwen charmes op haar botviert...'

'Je bedoelt dat ik Tessa de Loo even moet kieren. Hoe ziet dat mens eruit dan?'

'Dat doeder nietoe,' zei Hugo Claus, 'het gaat omdunappel.'

'Maar hoe krijgen we in godsnaam die deur open?' vroeg Jan Wolkers. De vier mannen keken elkaar nadenkend aan. Jef Geeraerts, die de smaak te pakken had, nam vastberaden een aanloop om de deur in te trappen. Op dat moment waaide de deur door de tocht in het eeuwenoude kasteel met veel gepiep open.

'Hij staot al opu!' riep Jef Geeraerts, alsof de anderen dat nog niet doorhadden.

De vier mannen keken naar binnen, ze zagen het bestuur van het Fonds voor de Letteren bewusteloos en vastgebonden naast elkaar liggen.

'Waar is die appel nou?' verwoordde Jan Cremer een algeheel gevoel van onbehagen.

Jef Geeraerts, Jan Wolkers, Jan Cremer en Hugo Claus stonden in de torenkamer van het kasteel d'Hoeg'n Bierg gebiolo-
geerd naar de vastgebonden en bewusteloze bestuursleden
van het Fonds voor de Letteren te kijken.

'Goedenavond, samen, knabbelknabbel,' hoorden ze plotseling.

Van schrik grepen de totaal ontnuchterde mannen elkaar
beet. Geen van hen durfde in de richting van de stem te kijken. Hugo Claus deed heel voorzichtig een stapje naar voren
en toen hij eindelijk de moed had verzameld zijn ogen op te
slaan, zag hij zijn oude vriend Harry Mulisch.

'Maar awel, Arry, wat doet gij ier? En oe komen dienun lie-
den buiten westen?'

'Gewoon,' zei Harry Mulisch superieur op zijn pijp kau-
wend, 'met de bus of met de auto, net als wij.'

Nadat hij dit gezegd had, stapte hij over het door een bewusteloze Louis Ferron gevulde spijkerpak de torenkamer
uit.

'Dahag, knabbelknabbel.'

Verbijsterd bleven de vier mannen achter. Nog lang hoorden ze de kalfslederen zolen van de Italiaanse brogues van
Harry Mulisch op de trap naklinken.

Nog geen half uur later was het één grote chaos op het landgoed De Wiede Velden! Hieronder volgt een chronologisch
overzicht van de onverwachte gebeurtenissen, zoals die op
een zwarte bladzijde in de geschiedenis van de Nederlandse literatuur moeten worden bijgeschreven.

01:05 uur. De vier ontnuchterde nachtbrakers hebben na

hun ontdekking groot alarm geslagen. 'De appel is weg!' is de veelgehoorde kreet. Het gonst over het veld. In het pikkedonker van de nacht heerst overal verontrusting. Iedereen kruipt uit zijn tent.

01:10 uur. Algehele chaos. Rond de kapotte tent van Carel Peeters verzamelt zich een groepje behulpzame dichteressen om bij kaarslicht Peeters wonden te likken. De communicatie tussen Peeters en de overige kampleiders verloopt uiterst gebrekkig. Het commando van vier verliest zo de greep op de gebeurtenissen.

01:27 uur. Bij het bordes wordt geprotesteerd en met stenen gegooid. In een laatste poging de zaak in handen de houden heeft Tom van Deel alle macht naar zich toegetrokken en het hele kasteel tot nader order 'verboden terrein' verklaard. Er is niemand die zich daar iets van aantrekt en velen gaan plunderend naar binnen. In de latrine doen degenen met een zwakke blaas (Hubert Lampo, A. Alberts, Rudy Kousbroek en Arthur Lava) vlug even een zenuwachtige plas.

01:39 uur. Op de trap naar de torenkamer wordt gevochten, maar niemand weet door wie. Bij een grote boom ondervraagt A.C. Baantjer kwijlend P.F. Thomése. Dit loopt op een handgemeen uit. Soldaatjes van de verschillende kampen voeren verkenningsvluchten uit, wat bij sommige tenten tot schermutselingen en grensconflicten leidt.

01:52 uur. Onderhandelaars Ouwens en Fens proberen een bestand te bewerkstelligen, maar vergeefs. De eerste tenten van onschuldige schrijvers gaan verloren in de strijd. Atte Jongstra staat hulpeloos in zijn encyclopedieën te bladeren, zijn circustent is in brand gestoken.

02:10 uur. Midas Dekkers vergrijpt zich in het geniep niet aan één schaap, maar aan een hele kudde. Een groep verontruste dichteressen neemt het voor de schapen op. Hans Warren is als een bezetene aan het oorlogsdagboeken. 'Ze smelten Kaas, ze smelten Kaas,' schreeuwt de persoonlijke postbode van Willem Elsschot, Vic van de Reijt wanhopig. Wie Kaas smelt, wordt niet duidelijk.

02:23 uur. Tegendemonstratie. Vredesduifjes en Dwaze Moeders Nelleke Noordervliet, Anja Meulenbelt en Hermine de Graaf maken voortdurend het V-teken en roepen: *'Give peace a chance. Make books not war!'* Jee Bernlef loopt met een groot bord *'Yankees go home!'* als een waanzinnige achter hen aan, waarbij hij uitdagend scandeert: 'Johnson! Moordenaar!'

02:41 uur. Frans Pointl, G.F. Durlacher, Albert Helman en Wim Hazeu richten een comité van waakzaamheid op, maar de eerste vergadering wordt verstoord door een bommelding van Marten Toonder. Het campingveld wordt beheerst door verschillende *warlords*, en dat maakt de situatie niet overzichtelijker. Onder leiding van Elisabeth Eybers slaat een groepje *warladies*, bestaande uit Judith Herzberg, Eva Gerlach en Elma Verharen de handen ineen. Een golf van terreur is het resultaat.

03:00 uur. De twee autoriteiten Kees Fens en Jaap Goedegebuure weten via de kamptelefoon een lijn tot stand te brengen met de veiligheidsraad van de Uitgeversbond Nederland (UN) te Amsterdam met een noodkreet om hulp. Dit leidt echter niet tot enige rust, want de chaos en paniek slaat nu zelfs over naar de hoofdstad. Verschillende uitgevers worden uit bed gebeld en in de cafés worden de stellingen betrokken. Uitgever Bert Bakker wil ingrijpen en heeft het over 'eindelijk eens Spijkers met koppen slaan'. Tot een gecoördineerde ingreep komt het niet, omdat de uitgevers het onderling niet eens worden. 'Laat die schrijvers het zelf maar uitvechten,' besluit de directeur van de uitgeverijen Contact, Atlas en Veen, Bert de Groot, die, uitkijkend over de Herengracht, zichzelf tot Albertus de Grote kroont. Zijn ondergeschikte Harko Keijzer staat er maar wat verloren bij.

03:13 uur. Een oekaze van de kampleiding aan de strijdende partijen wordt vrolijk genegeerd. Een cameraploeg van GNN (Grunninger News Network) struint met Boudewijn Büch het landgoed af, om elk kwartier live op de Groninger kabel verslag te doen. 'De schrijvers hier zijn gek geworden,' verklaart Benno Barnard met angst in zijn ogen. Voor het NOS-journaal vraagt Pauline Broekema aan ieder die ernaar wil luisteren (Adriaan Morriën en Theun de Vries) 'wat er op dat moment door hen heengaat.'

03:25 uur. Joost Zwagerman voert de prijs van het 'neusgeluk' nog wat op. Een grammetje doet nu al gauw honderdvijftig gulden. Huub Oosterhuis en Nel Benschop bidden in hun tentkerk dat het allemaal maar gauw voorbij mag zijn, maar zij worden door Gerrit Komrij voor *Scientology*-tuig uitgescholden. Uit Amsterdam komt voor onze jongens een lading *Tirades*, waartegen door de redacties van de andere literaire bladen wordt geprotesteerd.

03:40 uur. De bloembollen die Jan Siebelink heeft opgegraven uit de Franse tuin belieft niemand. Cees Nooteboom wordt gearresteerd op het vliegveld van Kopenhagen. In het verlaten kantoor van de kampleiding wordt door Theo Kars en Rob Schouten ingebroken, maar de gegevens over het wedstrijdverloop kunnen zij niet vinden, en dus niet vervalsen.

03:58 uur. Aan een paar bomen op de achterzijde van het landgoed vindt Nicolaas Matsier Stephan Sanders en Bas Heijne, die ingesnoerd met pluche konijneoortjes hangen te bungelen aan een grote tak. Sanders en Heijne verkeren in een shock en kunnen geen antwoord geven op belangrijke vragen. Bij de latrines neemt A. Moonen een duik in de beerput, waarna hij nog steeds 'Scheveningen' kan uitspreken.

04:03 uur. De toestand op het veld escaleert volkomen, maar debutant J.J. Voskuil gaat samen met debutant Frida Vogels gezellig in de tent over vroeger praten. Een groepje gemilimeterde boerenrammers trekt erop uit om met schuimbekkende Martin Ros (zoals Homerus hem altijd noemde) een colletje te beklimmen. Adriaan van Dis loopt met een paar flessen wijn en wat mineraalwater te zeulen. Er sjouwen wel meer schrijvers met hun bezittingen reddeloos over het Noordgroningse landgoed.

04:17 uur. 'Hoe heeft het zover kunnen komen?' huilt de Vlaamse dichter Leonard Nolens voor de camera van GNN. Uit Amsterdam komt nog almaar geen reactie. De grachtengordel is verlamd door haar bureaucratie. Onderhandelaars Ouwens en Fens doen nog een poging maar het drieëntwintigste bestand (sic!) wordt snel weer geschonden door onder andere een gek geworden Remco Campert.

04:40 uur. Bij het opgaan van de zon keert tergend langzaam de breekbare rust terug op de camping. Maar hoe lang zal het duren voor deze vrede bestendig blijkt?

04:59 uur. In de totale anarchie is niemand op het idee gekomen om de bestuursleden van het Fonds voor de Letteren (Tessa de Loo, H.C. ten Berge, Kester Freriks en Louis Ferron) te bevrijden uit hun benarde situatie. Zij liggen nog almaar vastgebonden in het torenkamertje van het kasteel. Bij de tenten wordt voorzichtig gepraat over de afgelopen nacht. Drie vragen overheersen: A) hoe heeft het zover kunnen komen? B) hoe moet het nu verder? en C) waar is de Gouden Appel?

05:32 uur. Gekleed als Canadese soldaat stroopt Jan Cremer op zijn Harley Davidson Liberator meisjestenten af om de meisjes hun dankbaarheid voor de bevrijding te kunnen laten tonen.

Een uur later, toen de nevelen van het slagveld optrokken, maakte een trieste Boudewijn Büch de balans op. 'Hier achter mij, op het terrein van het kasteel d'Hoeg'n Bierg, waar de afgelopen week ongeveer tweehonderdvijftig Nederlandse en Vlaamse schrijvers bij elkaar zijn gekomen om voor eens en voor altijd uit te maken wie de beste schrijver van ons taalgebied is, heeft vannacht een veldslag gewoed. De precieze toedracht is niet bekend, maar dat de mysterieuze verdwijning van de hoofdprijs, een gouden appel ter waarde van enkele miljoenen guldens, er iets mee te maken heeft, staat vast. Zeker veertig schrijvers hebben zich moeten laten behandelen in de ziekenboeg, en enkele schrijvers worden nog steeds vermist, onder hen bevond zich aanvankelijk ook Cees Nooteboom, maar die is inmiddels boven water: hij is zojuist geëvacueerd uit een op het vliegveld van Wladiwostok vastgevroren Airbus. De autoriteiten geven vooralsnog geen commentaar op de gebeurtenissen van de afgelopen nacht, maar duidelijk is dat geen van de schrijvers, ikzelf incluis (mijn boeken liggen in iedere boekwinkel), het terrein mag verlaten. Vanmiddag na afloop van de *briefing* van de kampleiding, hoop ik u meer te kunnen vertellen. Dit was Boudewijn Büch voor GNN hoofdlijn-nieuws.'

Boudewijn Büch klikte chagrijnig zijn microfoon uit en slenterde naar het kasteel, dat een desolate indruk maakte.

'Hè, gezellig,' zei Boudewijn zuchtend.

Op het bordes draaide hij zich even om. Tientallen schrijvers liepen verdwaasd over het veld, op zoek naar hun bezittingen. Hier en daar smeulde nog een tent, maar voor de rest was het rustig. Het gezag op de camping was weer in handen van de kampleiding, al bleven er enkele verzetshaarden. Büch liep de kantine van het kasteel binnen, die naar Oudhollands gebruik was ingericht als crisiscentrum. De hulpopvang was uitzonderlijk snel op gang gekomen. In het crisiscentrum konden de schrijvers terecht met hun vragen ('Nee, je aanvullende honorarium komt niet in gevaar') en ze vonden er een stevige schouder om op uit te huilen.

Al gauw werd duidelijk dat de voor die dag geplande triatlon niet door kon gaan, de zoveelste tegenslag voor de wedstrijdcoördinatie. Op aanplakbiljetten werd aangekondigd dat die middag alle schrijvers zouden worden ingelicht over de stand van zaken en hoe het nu verder moest.

In het crisiscentrum versloeg Boudewijn Büch live de binnenkomst van de vier bestuursleden van het Fonds voor de Letteren, druktemakertje Freriks, De Loo, Ten Berge en Ferron. Omwikkeld met dekens werden ze de kantine binnengeleid, om er met wat plakken geconcentreerde Grunkrenkoe weer bovenop geholpen te worden. Ze waren te verdwaasd om een woord uit te kunnen brengen. Alleen Louis Ferron scheen enigszins helder.

'Wat is er gebeurd?' vroeg Boudewijn Büch ongeïnteresseerd.

'We waren net de Gouden Appel aan het oppoetsen toen er geklopt werd,' begon Ferron, 'ik liep naar de deur, maar er was niemand te zien. Wel trok er een vreemde geur door de kamer, waarvan ik eerst dacht dat die van de lichtelijk flatulent aangelegde Kester Freriks afkomstig was, maar de geur werd zo intens en pregnant dat we allen bedwelmd moeten zijn geraakt, zelfs Kester. Toen we bijkwamen, lagen we vastgebonden en hoorden we buiten een enorm kabaal. Het lawaai hield uren aan. Het was vreselijk.'

'Het was vreselijk, inderdaad,' richtte Boudewijn Büch zich tot de camera. 'De rust is nu wedergekeerd, maar iedereen vraagt zich af: voor hoe lang? Straks, als de duisternis weer haar intrede doet, zal dit schrijverskamp zijn overgeleverd aan machten die het daglicht niet kunnen verdragen. Er wordt met vereende krachten gewerkt om de situatie zo veilig mogelijk te houden, zodat onder anderen deze man hier naast mij weer rustig kan gaan slapen. De kwestie is of dit zal lukken. Dit was Boudewijn Büch, kasteel d'Hoeg'n Bierg, landgoed de

Wieden Velden, GNN hoofdlijn-nieuws.'

Het cameralicht floepte uit, en vermoeid gapend gaf Büch zijn microfoon aan de regieassistent.

Op het veld voor het bordes kwamen vele schrijvers en dichters bijeen. Opvallend was dat de opdeling in drie kampen, te weten de bendes van Hermans, Reve en Mulisch, hierbij gehandhaafd bleef. Op het bordes stond een tafel met microfoons. Het wachten was op de kampleiding. De verzamelde pers nam, onder aanvoering van Boudewijn Büch, plaats tussen het bordes en de schrijvers.

Over en weer werden er tussen de verschillende bendes verwijten gemaakt.

'Wat hebben jullie met die Appel gedaan?' schreeuwden de Revianen naar de andere kampen.

'Wij? Jullie, zul je bedoelen! Wij hebben die hele Appel niet nodig, want wij hebben *De ontdekking van de hemel*. Ons interesseert die Appel echt geen barst. Dus zeg op, waar is die Appel?' risposteerde het kamp Mulisch.

'Moedwil of misverstand? In ieder geval is die Appel kwijt. Foetsie. En wij hebben het niet gedaan!' hoestten de mannen van Hermans.

Toen er bijna een nieuwe veldslag dreigde uit te breken, kwam de kampleiding het veld opgelopen. De scheldende schrijvers richtten zich nu en masse op Tom van Deel, Jaap Goedegebuure, Kees Fens en een manke Carel Peeters. De meeste dingen die de boze schrijvers riepen, zouden ze nooit onder eigen naam in boekvorm hebben durven publiceren. Zo schreeuwde een dichter die elke tien jaar een nog onbegrijpelijker dichtbundel aan zijn oeuvre toevoegde, opeens verbazingwekkend helder: 'Krijg toch allemaal de vinketering, stelletje klootzakken!'

De critici trokken zich van deze kritiek weinig aan en namen onverstoorbaar plaats. Het protest van de schrijvers was inmiddels samengebald tot een eenvoudig maar poëtisch 'Hi Ha Hondelul, Hi Ha Hondelul.'

'Bedankt, allemaal, zo kan die wel weer,' snoerde Tom van Deel iedereen de mond. 'We zullen het vanmiddag over een paar zaken hebben. Allereerst kan ik u mededelen dat we in overleg met het Fonds voor de Letteren een commissie in het leven hebben geroepen, die binnenkort zal gaan onderzoeken hoe de gebeurtenissen zoals die zich vannacht op dit kamp hebben voorgedaan, mogelijk zijn geweest, welke oorzaken er aan ten grondslag hebben gelegen, welke Nederlandse en Vlaamse auteurs erbij betrokken zijn geweest, hoe we de desbetreffende auteurs op gepaste wijze kunnen straffen, en wat de gevolgen zijn voor het literaire klimaat in ons taalgebied en het literatuurbeleid van de overheid.'

Op het veld lag bijna iedereen na deze volzin te sudderen. Alleen W.F. Hermans was nog wakker.

'Dat zal dus wel weer 1997 worden voordat we dat weten,' interrumpeerde hij hoestend. 'En dat maak ik deo volente niet meer mee.'

'Hoho, meneer Hermans, dat lijkt me wel een beetje erg optimistisch. Maar goed. Belangrijker is de verdwijning van jullie collega's Piet Grijs en Maarten 't Hart...'

Een tevreden gesnurk klonk nog steeds over het veld.

'...waarbij de zoekgeraakte Gouden Appel in het niet valt.'

'De Gouden Appel?'

Alle schrijvers schrokken wakker.

'Ook over die gevallen,' ging Van Deel verder, 'zal de voornoemde commissie zich naderhand buigen.'

'Met andere woorden: we zijn nog geen stap verder,' zei dichter Peter Zonderland.

'Nee, jij bent lekker vlot met je nieuwe dichtbundel,' schamperde Jaap Goedegebuure.

'Even zonder gekheid op een stokje,' besloot Tom van Deel, 'we zullen er alles aan doen om de verdwenen schrijvers en dé appel terug te vinden. Morgen is de laatste wedstrijddag, dat wordt de laatste kans om uit te maken wie de beste schrijver van Nederland is. Ik smeek jullie allen om gewoon mee te doen en je verder nergens zorgen over te maken. Alles komt goed, geloof me. Wanhoop niet en ga rustig slapen. Wij waken over u. Dit was het. *You're dismissed now. And, hey! Let's be careful out there.*'

De schrijvers stonden zonder overtuiging op, terwijl Boudewijn Büch al even enthousiast in de camera keek.

'En met deze woorden van Tom van Deel komt er hopelijk een einde aan de onrust en het wantrouwen op het landgoed.

Of zijn woorden ook werkelijk deze uitwerking hebben, zullen we morgen pas weten. Nu valt eerst de nacht over kasteel d'Hoeg'n Bierg. Een nacht die velen vrezen. En misschien terecht. Boudewijn Büch, ergens in de buurt van Goejanpapperveen, voor GNN hoofdlijn-nieuws,' zei hij, en hij knikte ter afsluiting in de richting van zijn nog niet geheel ingewerkte cameraman. Hij zweeg even en mompelde toen samenzweerderig: 'Maar goed, alsof dat het klootjesvolk iets zou interesseren...' Het was wonderbaarlijk om te zien hoeveel mensen in den lande dit in het verkeerde keelgat schoot.

Wat iedereen had gevreesd, geschiedde niet. Het bleef een rustige nacht op het landgoed de Wiede Velden, en al waren er nog steeds schrijvers vermist, tot schermutselingen kwam het niet meer. De kampleiding kon opgelucht ademhalen. Al vroeg in de ochtend stonden de schrijvers gapend naast hun tentjes.

'Môge,' zei Willem Brakman tegen Atte Jongstra.

'Morgn,' zei Jongstra, die de hele nacht de smeulende resten van zijn circustent annex bibliotheek had staan nablussen.

'Wil ik even helpen?' vroeg Brakman.

'Nou, dae waitkniedoor,' zei Atte Jongstra, 'da zuldu zelf moetn bepaln, of u mai wildelpn.'

'Nou, dan toch gewoon niet!' bekte Brakman hem af, 'zoek het dan zelf maar uit met die koleretent van je, rare snijboon. Ik dacht dat postmodernisten elkaar steunden en hielpen, maar in Friesland denkt men daar blijkbaar anders over. Spruitjeskoker.'

Brakman vertrok naar de latrine om zich te wassen. Nu kwam Hans Warren bij de puinhoop van Atte Jongstra.

'Môge,' zei Warren vrolijk en hij haalde even de pen van het papier van zijn dagboek.

'Morgn.'

'Heb je nog wat in de ramsj, Atte?' vroeg Warren alweer doorschrijvend en hij knikte naar de enorme hoeveelheid nagloeiende boeken. 'Vanwege brandschade, ofzo...'

Atte keek hem lang aan. Hij zette zijn bril af en begon luid te huilen. 'Oe blinder,' jammerde hij, 'hoe kundu dannou vraogn? Mien heile beziddis vrbraend. Aelles waek haed is

93

weg, in raok opgegaen. En daen kom jai ier aen meddae raere brillntje van jauw…'

'Rare brilletje?' vroeg Hans Warren. 'Nee, jij hebt een lekker bekkie.'

Jongstra jammerde onverstoorbaar verder: '…en vraegdoe of ik misskien nogn koopje het. Waerom, in blindersnaem?'

'Sorry, maar het ligt in mijn aard,' zei Warren, 'ons Zeeuwen bin zunig.'

Atte zette zijn bril op en mompelde: 'Zeeuws meisje.'

Warren draaide zich om. 'Geen cent teveel, hoor!' riep hij nog vrolijk. Op een drafje dartelde hij naar de latrine, waar een lange rij schrijvers met een toilettasje onder de arm stond te wachten.

'Zo, Hans,' zei Rudy Kousbroek tegen Warren, 'heb je jezelf even vrij gegeven?'

'Nee hoor, ik schrijf altijd door. Zelfs als ik op het toilet zit,' antwoordde Warren, 'er is geen gang die ik niet beschreven heb.'

Vandaag was het de laatste speeldag. Ondanks de onrust en de vreselijke scènes van de dag daarvoor, verscheen iedereen zonder dralen op het ochtendappel. Na een gebruikelijk bordje Grunkrenkoe ('Het is zo vies, dat ik het zo langzamerhand lekker ben gaan vinden,' merkte A. Moonen op, 'bovendien is het goed voor de ontlasting, en dat is ook belangrijk!') nam Jaap Goedegebuure het woord.

'Jullie hebben de afgelopen dagen het nodige te verduren gehad, schrijvers. En een groot probleem daarbij is dat we nog steeds geen echte winnaar hebben voor de Grote Wedstrijd. Om de spieren los te maken, gaan we vanochtend wat leuke Hollandse spelletjes doen, die wat meer aansluiten bij jullie dagelijkse bezigheden. Zo gaan we onder andere biljarten, darten, pokeren, blackjacken en handjedrukken…'

Met opgeklaarde gezichten keken de schrijvers elkaar aan.

'… en we besluiten deze ochtend met het klapstuk, tevens lunch, het Grunkrenkoe-happen.'

Alle gezichten betrokken.

'Aan de hand van deze wedstrijden maken wij uit wie er mag bogen op de titel *De beste schrijver van Nederland*. Terwijl wij vanmiddag in beraad gaan, mogen jullie je – verplicht

– vermaken met een spelletje "vlaggenroven".'

'Ja, waarom in godsnaam,' riep iemand geërgerd uit, 'als het toch niet meer meetelt voor de uitslag!'

'Om de groepsband te verstevigen, Meisje Bloem!' zei Kees Fens scherp. Over de rand van zijn bril keek hij de menigte doordringend aan. 'En iedereen weet,' zei hij zacht, 'dat dáár nog wel het een en ander aan te verbeteren valt…'

'Fens, erger je niet,' zei Tom van Deel tegen zijn collega, en hij begon stencils en wedstrijdformulieren uit te delen. De rest van de ochtend speelden de schrijvers hun spelletjes.

Toen een paar uur later de wedstrijdformulieren weer werden ingenomen, was het pleit beslecht voor de Nederlandsc schrijvers.

'Uit dit stapeltje gaan wij uitmaken wie er wint vandaag!' zeiden de mannen van de kampleiding tegen elkaar, bij de ingang van het kasteel. Voordat ze zich konden insluiten in de kantine om de uitslag te bepalen, werden ze aangehouden door A.C. Baantjer.

'Zou ik de heren, voordat zij in retraite gaan, mogen verzoeken om een klein onderhoud?' vroeg hij zacht en zonder taalfouten.

'Baantjer, wij hebben wel wat belangrijker dingen te doen,' antwoordde Carel Peeters.

'Nou, ik denk dat dit u wel zal interesseren…' fluisterde Baantjer geheimzinnig, en hij ging de heren voor.

Marion Bloem huppelde over de camping. Om haar hals droeg ze een blauwe band, die aangaf in welk team zij zat. De schrijvers waren onderverdeeld in twee groepen (wat nog een heel gedoe was geweest), die elkaars vlag dienden te veroveren. Als een schrijver van het ene kamp een schrijver van het andere kamp bij zijn lint pakte, was de gepakte schrijver voor vijf minuten 'dood'. Nog geen minuut nadat het spel begonnen was, had Marion Bloem maar liefst dertien schrijvers aan haar lintje hangen.

Met opmerkelijk enthousiasme gingen de schrijvers aan de slag, het leek wel of het veroveren van de vlag van de tegenpartij een belangrijk doel in hun leven was geworden. Het was alsof met dit spel op een onschuldige manier de serieuze strijd van de dag ervoor kon worden overgedaan. Er werd heel wat afgepraat en verwerkt, het was louter loutering op die zomerse middag daar in het hoge Noorden. Men bedacht er zelfs een nieuwe sportterm voor: 'bekentenis-vlaggenveroveren.'

'Hadden we na de Tweede Wereldoorlog met z'n allen ook maar gewoon een potje vlaggenveroveren gedaan,' zei Adriaan Venema beteuterd, 'dat had mij een hoop schrijfwerk bespaard.'

Het strijdverloop deed er eigenlijk niet toe, het feit dat er gespeeld werd, was van belang. Schrijvers werkten samen, hielpen elkaar, vormden groepjes en kongies, en schakelden gezamenlijk andere schrijvers uit.

Inmiddels was Marion Bloem bij de vijver gaan zitten. Ze wilde niet meer meedoen, was liever permanent dood. Ze sloeg haar steile haar achterover en strekte zich uit om zich in het spiegelende water te bewonderen. Adriaan Morriën, die zich met haar mee strekte, viel voorover in de vijver.

Toen kwam er uit de schoorsteen van het kasteel witte rook. Hoewel het vlaggenveroveren nog geen winnaar had, klonk door de speakers op het terrein de aankondiging dat het spel afgelopen was, en dat alle schrijvers naar de Balzaal van het kasteel moesten komen.

'Eindelijk,' verzuchtte Walter van den Broeck en met hem vele anderen. Iedereen (behalve Cees Nooteboom die op het vliegveld van Ouaga Dougou, hoofdstad van Borkina Fasso, een verkeerde *gate* had genomen en nu in een oude DC 10 op weg was naar Tananarive) leverde de linten in bij de kampleiding, en nam plaats in een grote kring. Het wachten was op de uitslag...

Iedere schrijver zat op het puntje van zijn stoel, daar in de Balzaal van het kasteel d'Hoeg'n Bierg. Weldra zou de uitslag van de Grote Wedstrijd bekend worden gemaakt! Het moment waarop iedereen had gewacht: wie was De Beste Schrijver Van Nederland? De spanning steeg ten top. Er waren schrijvers die zenuwachtig zaten te wiebelen, anderen tikten ritmisch met hun vingers, weer anderen beten op hun nagels en een enkeling had zijn sluitspieren niet in bedwang. Men was 'tiepelzinnig', om het op z'n Gronings te zeggen.

Toen betrad de wedstrijdleiding de zaal. Abrupt hield iedereen zijn mond (behalve Cees Nooteboom, die stond te vloeken en te schelden toen hij hoorde dat zijn vlucht vanaf het vliegveld Kloten bij Zürich naar Schiphol was overgeboekt). Jaap Goedegebuure schikte een stapeltje papieren en kuchte.

'Deze middag zal nog anders verlopen dan jullie denken,' begon hij, 'allereerst willen wij het woord geven aan…'

Bij de deur was er plotseling grote onrust.

'…de beste speurneus van Nederland: A.C. Baantjer.'

Struikelend betrad Baantjer de Balzaal. Niemand had dit verwacht.

'Sorrysorrysorrysorry,' zei Baantjer lichtgebogen, 'het is niet mijn bedoeling om een zo belangrijke bijeenkomst als deze te verstoren. Maar…' hij zweeg even en keek de zaal rond, '… er zijn toch bepaalde dingen gebeurd tijdens deze, laat ik het maar "vakantie" noemen, die om enige opheldering vragen.'

Onder de schrijvers was irritatie te bespeuren. Stonden ze net voor de uitslag van een voor hen belangrijke wedstrijd, kwam iemand die nauwelijks kans maakte even de aandacht op zichzelf vestigen.

'Die akkefietjes zijn nu niet zo belangrijk, wegrestaurant Baantjer,' hoestte Willem Frederik Hermans, 'bemoei je er niet mee, en laat de critici spreken.'

'Aha, meneer Hermans,' kromde Baantjer zijn rug nog dieper, 'kanshebber W.F., mag ik wel zeggen. Jajajaja. Ik wil u niet beledigen, meneer, maar ik ga toch nog even verder, ook al heb ik helemaal geen verstand van literatuur. Wacht u rustig af, ik kom zo bij u terug. Die akkefietjes, zoals u ze noemt, zijn wel degelijk belangrijk. Waar is bijvoorbeeld Maarten 't Hart, een vraag die velen van ons zich hebben gesteld. Nietwaar, mevrouwtje Van Keulen?'

'Nou inderdaad,' zei Mensje van Keulen verheugd. 'Weet u het?'

'Och, ik denk dat ik het wel weet, mevrouwtje Van Keulen.'

Het bleef stil.

'Of moet ik zeggen: meneertje 't Hart?'

Mensje van Keulen hakkelde wat en keek A.C. Baantjer, die inmiddels naast haar was gaan staan, uiterst verbaasd aan.

'Wat bedoelt u?' piepte ze. Het viel alle aanwezigen op dat ze met een nog hogere stem sprak dan normaal.

'Wat ik bedoel is… Is deze weelderige bos krullend haar echt?'

Baantjer trok met één ruk de pruik van Mensje van Keulens hoofd.

'U bent Van Keulen niet,' sprak Baantjer rustig. 'U bent Maarten 't Hart.'

In de zaal heerste ontsteltenis.

'Het is waar,' begon Maarten 't Hart snikkend, 'de avond dat ik Madonna imiteerde, werd ik op brute wijze ontvoerd, dat weten jullie vast nog wel. Ik heb daarop mijn ontvoerders gesmeekt: ruil mij in voor Mensje van Keulen. Ik wist dat ik haar kon imiteren, ik wist het zeker. Mijn ontvoerders, van wie ik de identiteit nooit heb kunnen vaststellen, gingen hiermee akkoord, maar in ruil moest ik wel enkele ''vuile klusjes'' voor hen opknappen. Ik wilde zo graag permanent een vrouw zijn… Wat er met Mensje is gebeurd, weet ik echt niet. Ik heb er echt spijt van. Ik zou er graag in een televisie-talkshow over willen praten.'

'Jajajajaja,' zei Baantjer, 'weet u wat het is, schrijvers? Ik geloof hem. A) Hij weet niet wie zijn ontvoerders zijn en B) hij weet niet waar Mensje is. Mevrouw 't Hart, ik heb nog een leuke verrassing voor u,' hierop wenkte hij naar de ingang. Daar stond Mensje van Keulen, ongehavend maar zichtbaar aangedaan. Mensje en Maarten vlogen elkaar in de armen, ze huilden allebei.

'Het spijt me zo,' kermde 't Hart.

Van Keulen was de vergevingsgezindheid zelve: 'Vergissen is menselijk, Maarten.' Ze verdwenen samen in een hoekje.

'Goedgoedgoedgoed,' ging Baantjer verder, 'wat waren die "vuile klusjes" die 't Hart moest opknappen, beste schrijvers? Was het de verdwijning van Piet Grijs soms? En aan wie kunnen we dat beter vragen dan aan de totaal onbekende debutant Ties Verkade?'

'Nou, dat lijkt me niet zo'n goed idee,' bemoeide detective Jan-Willem van de Wetering zich ermee.

'O, jee. Van de Wetering heeft een goed idee. Luister, feestneus, als reservepolitieman ben je alleen actief geweest tijdens de intocht van Sinterklaas, dus ga je alsjeblieft niet met Grote Politiemannenzaken bemoeien. Ik ben een rot in het vak, Jeewee, en ik denk wel degelijk dat ik Ties Verkade even wat moet vragen, dranghek.'

Verrast keek iedereen in de richting waarin A.C. Baantjer zijn vinger priemde.

W.F. Hermans hield het ook niet langer uit: 'Zeg, laten we eens ophouden met dit gemier. Waar hebben we het eigenlijk over? Hwuche. We zoeken de beste schrijver van Nederland en kletsen al een half uur lang over totaal onbekende en onbelangrijke mandarijntjes.'

'Neenee, nu moet ik u corrigeren, Heer Hermans. Ik weet natuurlijk niets van literatuur en ik vind het vervelend dat ik juist u op een foutje moet wijzen, maar u kent deze mandarijn wel degelijk. En dat zal ik u nu direct bewijzen.' Baantjer wendde zich tot Ties Verkade. 'Mijnheer Verkade, wat is de wortel uit 321?'

'D... d... dadadat is zeventien en negenhonderdenzestienduizendvierhonderddrieënzeventigmiljoenste,' antwoordde Verkade gedwee uit het hoofd.

'Hoeveel zei u?'

'Zeventien en negenhonderdenzestienduizendvierhonderddrieënzeventigmiljoenste.'

'Juist, mijnheer Grijs, dat zal wel kloppen, zou u mij dan
willen vertellen waarom u zich voordoet als Ties Verkade?'

De zaal stond versteld. Wie had dat kunnen denken? Piet
Grijs deed zijn zonnebril af en vertelde dat hij uit angst voor
het gepest van W.F. Hermans zich een nieuw pseudoniem
had aangemeten.

'Dat wilde ik horen,' zei A.C. Baantjer tevreden, 'want er
is de afgelopen dagen wel meer gepest en geïntimideerd. Ik
denk dat we zo langzamerhand zijn aangekomen bij wat ik al
die tijd al begon te vermoeden. Wie is de kwade genius achter
deze mysterieuze zaken? Waarom mocht de wedstrijd wie er
de beste schrijver van Nederland is niet vlekkeloos verlopen?
Wie heeft er baat bij dat de Nederlandse literatuur verdeeld
blijft? Alles is te verklaren, beste mede-schrijvers, alles is te
verklaren.'

'Hoezo: alles is te verklaren? Ik wed dat je van mijn laatste
Gesamtbuch geen lor hebt begrepen, knabbelknabbel,' merkte Harry Mulisch superieur op.

'Ik heb ook een heel mooi *Gesamtbuch* geschreven,' zei Jeroen Brouwers hard, maar niemand sloeg er acht op.

'Ajajajajaja, meneer Mulisch,' boog Baantjer zich nederig
naar Mulisch toe, 'meneer Mulisch, neemt u mij niet kwalijk,
ik weet natuurlijk niets van literatuur. Maar als u straks even
tijd heeft, wilt u dan misschien voor mevrouw Baantjer dat
dikke boek van u signeren, daar zou zij erg blij mee zijn. Ze
vindt het zo prachtig. Ik heb het meegenomen, kijkt u eens.'

A.C. Baantjer hield Harry Mulisch een stukgelezen exemplaar van diens filosofisch traktaat *De compositie van de wereld* voor.

'O god, daar heb je die onzinturf van Hwuche Mulisch
weer,' ergerde Hermans zich.

'U bent zo weer aan de beurt, heer Hermans. En bij u
kom ik ook nog terug, meneer Mulisch. Staat u mij toe even
door te gaan. Wie saboteerde er bijvoorbeeld de touwbrug tijdens de stormbaan? Wie sloeg Van Dis bewusteloos? Wie ver-
oorzaakte de chaos op het rugbyveld? Waarom maakte ik zo
enorm veel taalfouten? Wie hing Doeschka Meijsing aan de

kroonluchter? Wie bakte de space-grunkrenkoe? Van wie was de bloedstollende schreeuw in de Groningse tuin? Wie schreef de boodschap op de muur van het kasteel? Waar is het ingeleverde manuscript van Ivo de Wijs gebleven? Wie knevelde Oek de Jong, Stephan Sanders en Bas Heijne? Door welke geur raakte het bestuur van het Fonds van de Letteren bewusteloos? En wie, laatste vraag, ging er met de Appel vandoor?'

'Nou, ik geef het op hoor, mijnheertjer Baan, ik geef het op. En het lijkt mij beter dat u nu ook maar stopt. Laten we verder gaan met de uitreiking van de prijs, dat is een stuk interessanter dan ons af te vragen wie in 's Herens naam die lullige gedichtjes over de vakantie in de Elzas van Ivo de Wijs heeft verdonkeremaand.'

'Vakantie in de Elzas, zei u? Meneer Reve?'

'Ik?'

'Ja, u.'

'Ja, u!' nam kampleider Tom van Deel de vraag over.

Reve deed er wijselijk het zwijgen toe.

'Nogmaals: wie heeft er baat bij dat de Nederlandse literatuur verdeeld blijft?' vroeg A.C. Baantjer zich hardop af. 'Of moet ik zeggen: wie hebben?'

Yvonne Kroonenberg fluisterde tegen Jos van Maanen-Pieters: 'Dat weet ik nou nooit, hè. Dat zoek ik meestal even op.'

'Nou wie?' vroeg Baantjer.

'Oké, ik ben het. Het zijn mijn handen die het hebben gedaan,' riep Maarten Biesheuvel, 'sla ze maar in de boeien.'

'Nee, Maarten, jullie zijn het niet,' stelde Baantjer hcm gerust, 'maar wie zijn het wel? Hardwerkende ploeteraars als Alfred Kossman en Jan Siebelink? Moeilijke dichters als Gerrit Kouwenaar en Wiel Kusters? Ouderen die hun sporen al hebben verdiend als Hella Haasse en Theun de Vries? Misschien de jonge garde: de Sandersen, de Zwagermannen, de Mörings? De Belgen, de Hugo's? Boudewijn Büch, die liever dood wil? De vrolijke B's? Of… Ik weet natuurlijk niets van literatuur, maar het lijkt me dat het anders zit.'

Hij hief zijn handen omhoog en keek de zaal rond.

'De Grote Drie, zouden die het zijn? De drie schrijvers die algemeen erkend zijn als de grootsten? Zijn het Willem Frederik Hermans, Harry Mulisch en Gerard Reve? Die onder het mom van hun gezworen vijandschap de touwtjes stevig in handen willen houden?' Baantjer wees hen alledrie aan. Door de Balzaal ging een golf van verontwaardiging.

'Zij hebben er baat bij dat hun hegemonie niet verstoord wordt, beste schrijvers! En ze zijn ver gegaan om de rust en de orde te verstoren. Het kon hen niet krankzinnig genoeg, collega's. De geheime dienst in het hoofd van Hermans, het moordcommando in de kop van Mulisch en de inquisitie van Reve hadden het allemaal zo mooi uitgedokterd. Ze zijn ver gegaan, maar niet ver genoeg, vrienden. Waren ze even naar Zweden geweest om de tekst *"Vir die bjeste scriver vån Jølland"* te controleren, dan was het mij niet opgevallen dat er iets mis zat. Maar het viel mij wel op. Ik ga namelijk elk jaar naar Zweden op vakantie, mevrouw Baantjer vindt het daar zo mooi, weet u. Ik zal het u niet langer onthouden: alles, van het plaatsen van de Appel tot het stelen van de Appel, is het werk geweest, ontsproten uit de zieke breinen van deze zich ''De Grote Drie'' noemende oudevandagen. Ik heb er natuurlijk weinig verstand van, maar de Nederlandse literatuur komt mij toch een beetje over als een gerontocratie.'

De andere schrijvers reageerden zo onthutst dat Kees Fens hen tot orde moest manen.

'En dacht u nu werkelijk dat u echt kon uitmaken wie er de beste schrijver van ons taalgebied is door een paar partijtjes te biljarten? Nee toch zeker,' vroeg Baantjer, 'nee meneer Baantjer, we zijn naïef geweest. Allemaal. En hebzuchtig. Ook het Fonds voor de Letteren. En de kampleiding heeft zich ook aardig laten spannen voor het karretje van de Grote Drie... Maar goed. Ik hoop u enigszins een heel klein beetje van dienst te zijn geweest.'

Baantjer sjokte onder applaus naar de deur, draaide zich nog één keer om, en zei: 'Ik rust mijn koffer.' Toen ging hij af.

Onmiddellijk begonnen de Grote Drie te roepen dat Baantjer uit zijn nek zat te kletsen. Tegen hun paladijnen riepen ze dingen als: 'Sla die koddebeier in de boeien! Dit geloven jullie toch niet?'

Maar de eens zo verdeelde groep schrijvers wenste niet naar de oude guru's te luisteren. Het was alsof iedereen ineens inzag dat de Grote Drie eerder Bhagwan trojka was geweest dan de Heilige Drievuldigheid op aarde.

Nog een keer deden Hermans, Reve en Mulisch een poging hun volgelingen erop te wijzen dat Baantjer ongelijk had: 'Het is 's mans vak kletspraatjes te verzinnen! Geloof hem toch niet!' Het was een vergeefse poging, want even later vulde een beschamende stilte de zaal. Hoe had het zover kunnen komen? Waarom hadden zij zich zo laten gaan voor een titeltje en een paar miljoen gulden? Oké, voor de AKO-prijs deden ze het ieder jaar, maar dat stimuleerde tenminste nog de verkoop. En wat moesten ze doen met Hermans, Mulisch en Reve? Onder de schrijvers heerste algehele verontwaardiging. Hoe konden mensen zo diep zinken? Vlug werd er besloten een schrijverstribunaal te beleggen, dat de straf voor de drie schrijvers moest bepalen. Met gebogen hoofden liepen W.F. Hermans, Harry Mulisch en Gerard Reve naar het midden van de zaal, waar ze op een inderhaast uit het torenkamertje gesleepte driezitsbank plaatsnamen. Sommige schrijvers scholden, vloekten of huilden, anderen keken slechts verwijtend naar de drie schrijvers.

Carel Peeters vroeg om stilte. Hij wilde van de schrijvers weten of ze iets ter verdediging konden aanvoeren. Die waren echter zo onthutst dat het niet eens in hen opkwam om nogmaals gezamenlijk te ontkennen. In plaats daarvan begonnen ze, met het van hun inmiddels zo bekende gevoel voor theater, ieder de schuld in de schoenen van de twee anderen te schuiven.

'Neenee, heren,' onderbrak Peeters hen al gauw, 'daar trappen wij niet in. De tijd om toneelstukjes te spelen is voorbij. Ik vraag of jullie nog een reden hebben, buiten eigenbelang, om zulke levensgevaarlijke spelletjes te spelen.'

'We hebben het niet geweten,' probeerde Harry Mulisch en W.F. Hermans tegelijk.

'Bevel is bevel,' zei Gerard Reve er snel achteraan.

'Nee, heren. U kunt ons niet overtuigen met uw flauwe kwetsende opmerkingen. U heeft willens en wetens geprobeerd de literatuur te bedonderen, en dat zeker dertig jaar lang. Terwijl iedereen wist dat Reve paranimf was bij de promotie van Hermans, terwijl iedereen wist dat Mulisch en Hermans in Parijs samen de bloemetjes buiten zetten (wat niemand mocht fotograferen) en terwijl iedereen heeft gezien hoe Reve en Mulisch tijdens het Boekenbal samen op de foto bij Koningin Juliana wilden (Reve zei hier later zelfs over: ''Voor dit ogenblik heb ik mijn hele leven geleefd.'') moest iedereen geloven dat de drie eigenlijk elkaars grootste vijanden waren. Zielig, hoor. In alle interviews die deze drie volwassen heren na 1960 gegeven hebben, vonden ze het nodig op elkaar te schelden. Dat heeft de Nederlandse literatuur niets dan ellende gebracht. En bovendien noopt deze hele kwestie tot een grondige herwaardering van hun werk. Tom, Kees en Jaap zijn samen aan het werk en ikzelf begin nog deze week met een serie, onder de titel *De ontdekking van de zemel*.' Carel Peeters keek de drie schrijvers meewarig aan.

'Dat is niet genoeg!' schreeuwde Bas Heijne.

'Kruisig mij! Kruisig mij dan toch!' riep Maarten Biesheuvel. Iemand zei dat hij zich er niet mee moest bemoeien.

Onder leiding van Jules Deelder begonnen de schrijvers om wraak en gerechtigheid te roepen. In de ogen van Mulisch, Hermans en Reve was angst te lezen, hun geraffineerde schrikbewind was duidelijk aan een eind gekomen. Hulpeloos zochten ze steun van hun vroegere paladijnen en soldaten, maar zelfs de fanatiekste meelopers hadden zich nu definitief van hen afgekeerd en zich bij het wraakzuchtige gemeesmuil aangesloten.

De kampleiders keken elkaar onzeker aan, zou de zaak opnieuw escaleren?

Op het kasteel d'Hoeg'n Bierg op het landgoed de Wiede Velden was de spanning voor de zoveelste keer in een paar dagen te zagen. Willem Frederik Hermans, Harry Mulisch en Gerard Reve zaten te bibberen van angst op hun driezitsbank. Ze hielden elkaars handen vast. Hermans en Mulisch baden met Reve mede. De schare van wraaklustige schrijvers joelde om hen heen.

'Weg met hen!' was de veel gehoorde *yell*. En toen gebeurde er voor de zoveelste keer iets dat niemand had verwacht. Uit de menigte maakte Annie M.G. Schmidt zich los.

'Ik denk dat het tijd wordt dat we eens tot bezinning komen,' zei ze met haar zalvende stem. Het was vreemd, maar in de Balzaal werd het rustig. De schrijvers gingen zitten en de kampleiding kon weer wat opgeluchter ademhalen.

'Dit is een bewogen kamp geweest,' ging de eigenlijke koningin van Nederland verder, 'er is veel gebeurd en er is ook veel niet gebeurd. Natuurlijk is het fout wat de drie heren hier gedaan hebben, zij hebben op schandelijke wijze misbruik gemaakt van hun positie. Maar aan de andere kant zijn wij het geweest die het hebben laten gebeuren. Gelegenheid maakte de drie. En laten we niet vergeten dat de drie mannen ook veel goeds hebben gedaan.'

Aarzelend klonk er een instemmend gemor uit de zaal.

'En we moeten nu niet de fout maken door hen alleen als schuldigen aan te wijzen, wij zijn allen schuldig. Waar we zeker gebruik van moeten maken, is van het feit dat we hier met alle Nederlandstalige schrijvers verzameld zijn, behalve met Cees Nooteboom die, als ik het goed heb, nog vastzit op het vliegveld van Melbourne. We moeten een nieuwe start maken, collega's. Niet vervallen in oude fouten, maar kijken naar de toekomst. Ik ben een oude vrouw, maar nog jong van geest. Ik hoop dat u met mij meedoet om aan een nieuwe toekomst te werken.'

Het enthousiasme in de zaal begon toe te nemen.

'Laten we met z'n allen afspreken dat kinderachtigheid in de Nederlandse literatuur voortaan niet meer thuishoort. We zijn allemaal serieus met schrijven bezig en laten we dat respecteren. Geen pueriele polemieken meer, geen groepsvormingen, geen kongsies van schrijvers en critici die elkaar verdedigen en aanvallen: laat er voortaan vriendschap heersen in de Nederlandse letteren. Geen vijanden meer, maar vrienden, de liefde die vriendschap heet. Doen jullie mee, of hoe zit dat?' vroeg Annie M.G. Schmidt de zaal.

In de zaal stond men wat onwennig om zich heen te kijken. Deed men mee of niet?

'Kan ik op jullie rekenen?' vroeg Annie M.G. Schmidt nogmaals.

Hier en daar begonnen er schrijvers te knikken en naar elkaar te wijzen. Kon Annie op hen rekenen?

'Luister nou eens, schrijvers, ik ben al oud, en ik wil het nog wel meemaken. Doen jullie mee of niet?' schreeuwde Annie.

'Ik doe mee!' riep Adriaan Morriën, die misschien niet helemaal begrepen had waar het om ging, maar dat deed er niet toe. Het eerste schaap was over de dam. Overal begonnen schrijvers te roepen dat ze meededen. Weldra riep iedereen het, ook de Grote Drie op de bank. Het werd zelfs gescandeerd: 'Wij doen mee, Annie! Wij doen mee, Annie!'

Annie zelf stond erbij te glunderen.

'Ik wist dat ik op jullie kon rekenen,' riep ze, 'we gaan er iets moois van maken met z'n allen. Wilmink, gooi je gitaar eens op.'

Willem Wilmink slingerde zijn gitaar door de zaal, die Annie M.G. Schmidt met één hand opving, waarna ze het nummer 'Reach out and touch' inzette. In de Balzaal ging men wild enthousiast op de stoelen staan. Schrijvers strekten hun armen uit, sommigen staken hun aanstekers aan, anderen pakten elkaar bij de hand en allen zongen uit volle borst:

Reach out and touch,
somebody's hand,
make this world a better place,
if you can!

Het was nu liefde, liefde, liefde tussen de schrijvers. Tijdens het applaus dat volgde op haar optreden, begon Annie M.G. Schmidt te spreken: 'Ik denk, beste schrijvers, dat de tijd is gekomen...' ze keek even naar de kampleiding, die instemmend knikte, '... om het kamp op te breken. We hebben een wijze les geleerd, maar nu is het voorbij. De uitslag van de Grote Wedstrijd is natuurlijk: *we zijn allemaal de Beste Schrijver van Nederland.* Iedereen die hier aanwezig is, mag zich de Beste Schrijver van Nederland noemen, en ook samen zijn we de Beste Schrijver van Nederland. Laten we allemaal naar huis gaan en mooie boeken schrijven. We zullen de wereld eens laten zien waartoe we, dankzij onze liefde die vriendschap heet, in staat zijn!'

De schrijvers applaudisseerden nogmaals en verlieten vervolgens de zaal. Men was beduusd en onder de indruk. Er heerste zo'n vredelievende stemming dat het bijna onvoorstelbaar was. In contrast met het wilde gezang van een paar momenten daarvoor, zwegen de schrijvers afwachtend. Willem Jan Otten repte fluisterend van het *after bioscoop*-gevoel, en dat was een mooie typering voor de stille tocht die over het kamp ging. De schrijvers liepen zonder iets tegen elkaar te zeggen naar hun al dan niet gerepareerde tenten. Daar stonden ze stil. Allemaal namen ze hun tent nog eenmaal in zich op. Die kleine, veilige beschutting. Melancholiek keken ze naar hun tent-*mate.* Ze kropen allen naar binnen om hun bezittingen, pennen en boeken bij elkaar te rapen. Toen ze dit gedaan hadden, bleven ze allen nog even in hun tent zitten, mijmerend over de afgelopen dagen en het tentzeil van binnenuit met hun vingertoppen bevoelend. Schuilplaats tegen de regen. Ze knipperden met hun ogen om een onwelgevallige traan tegen te houden. Zuchtend stonden ze allen even later weer voor hun tent, die ze in paren geroutineerd maar somber afbraken. Alle schrijvers keken om zich heen, naar de andere schrijvers.

En toen gebeurde er iets, bijna te mooi om waar te zijn.

Aan één kant van het kamp begonnen er schrijvers voorzichtig te zwaaien; te zwaaien naar de schrijvers aan de andere kant van het kamp. En de schrijvers aan de andere kant van het kamp zagen de zwaaiende schrijvers aan de ene kant van het kamp. Ze keken een beetje verlegen om zich heen, en ze dachten: 'Hé, aan de overkant: zwaaiende schrijvers.' Langzaam en voorzichtig staken de schrijvers aan de andere kant hun handen op, en begonnen terug te zwaaien naar de schrijvers aan de ene kant. En plotseling, zomaar, zwaaiden alle schrijvers naar elkaar. Het hele kamp was gevuld met zwaaiende schrijvers, die eerst met één hand zwaaiden, afwachtend, zo van: 'Hé, nu herken ik je pas,' en later zwaaiden ze met twee handen, en nog later sprongen ze bij het zwaaien, met wilde bewegingen, alsof ze op een onbewoond eiland zaten en in de verte een schip zagen naderen, en nog weer later begonnen ze te roepen en te juichen en kledingstukken uit te trekken om daarmee te zwaaien, en het bleef niet alleen bij zwaaien, men begon ook koprollen te maken, en dubbele flik-flakken, en nog weer later liep men naar elkaar toe, om elkaar de handen te schudden, om elkaar huilend te omhelzen, en te roepen: 'Wat zijn we toch dom geweest, met z'n allen, en kinderachtig!' en men plukte boterbloemen voor elkaar, waar men kransjes van vlechtte om over elkaars hoofd te draperen, en men wisselde adressen uit en beloofde bij elkaar langs te komen om de foto's te bekijken, en er was één schrijver die op het idee kwam om zijn handen op de schouders van de schrijver voor hem te leggen, en de schrijver voor hem legde zijn handen weer op de schouders van de schrijver voor hèm, en al gauw was er een groepje schrijvers dat elkaars schouders vasthield en zo over het veld hoste, en andere schrijvers zagen dat en dachten: 'Maar dat is gezellig, laten we meedoen,' en ze deden mee en er ontstond een lange sliert van schrijvers, en zagen de schrijvers een schrijver die niet meeliep, dan werd hij vrolijk door de rij opgeslokt, net zo lang tot de voorste schrijver de achterste schrijver bij zijn schouders pakte en de schrijvers een cirkel vormden, een cirkel op het veld, een cirkel van alle schrijvers van ons taalgebied, en men begon liederen te zingen, en toen men zich weer losmaakte werden er muziekinstrumenten gehaald, en formeerde men een grote steelband, en er riep iemand: 'We maken er een dolle boel van!' en alle schrijvers maakten er een dolle boel van, en de steelband zette een zinderend moesson-ritme in, en er begonnen schrijvers wild te dansen, en er ontstond een spontaan feest, wat een ontknoping! wat een catharsis! wat een loutering! wat een ongecontroleerde uitzinnige bende! en er werd met vaten bier gesleept, en nog meer met dozen wijn, en nog het meest met flessen jenever, en het bestuur van het Fonds voor de Letteren verontschuldigde zich bij iedereen voor wat er allemaal mis was gegaan, maar aah joh, alles was vergeven en iedereen was vergeten, en zelfs Boudewijn Büch liep zingend over het kamp door de dansende menigte, eindelijk zonder sombere gedachten en *Weltschmerz*, en Gerrit Komrij huppelde naast hem, en ergerde zich geen moment, en Yvonne Kroonenberg miste haar tent, en boven het kamp werden vuurpijlen afgestoken, en Levi Weemoedt en Marijke Höweler werden verlicht door spetterende lichtballen, en ze gaven elkaar het ja-woord, die twee liefdesduifjes, en Adriaan Morriën had zijn geile regenjas helemaal uitgedaan, maar niemand vond dit erg, en er werden oude vetes bijgelegd, Piet Grijs en Theo van Gogh stonden arm in arm een verzoeningslied te schallen en Jeroen Brouwers en Rudy Kousbroek lachten heel wat af over vroeger, en op de Maximalen was niemand boos meer, en zijzelf hadden hun hormoonhuishouding eindelijk op orde, 'Allemaal Maximaal, allemaal hermetisch!' riepen alle Nederlandse en Vlaamse dichters in koor, en Simon Vinkenoog viel eindelijk in slaap, en Nel Benschop en Huub Oosterhuis deelden de *Strijdkreet* uit, en Bril & Van Weelden haalden de glazen op, die A.F.Th. van der Heijden weer vulde, en Jan Cremer zag hoe Kees Fens joelend achter de vrouwen aanging, terwijl hij zelf goedgemutst een dikke biografie ter hand nam, 'daar heb ik echt zin in!' riep hij uitgelaten, en Hans Warren noemde dit feest het mooiste moment van zijn leven, maar hij schreef dit niet op in zijn dagboek, en Jos van Maanen-Pieters en Marcel Möring liepen hand in hand, en ze fluisterden: 'Als het een jongen is noemen we hem Marcello Juan Jean-Pierre Orlando Philippe Claude Francesco Giovanni Battista Cipriano Fabrizio Pomponio Gaspacho Alfonso Leonardo,' en vele jubelkreten schalden over het feestterrein, en één ervan was van Jee Bernlef, 'KAA! KAA! Jij bent het!' riep hij en snikkend stortte hij zich in de vertrouwde armen van Gee Brands, en Atte Jongstra maakte met drs. P. schorseneren klaar in roombotersaus, en Mensje van Keulen voelde zich eindelijk weer mens, en Adriaan van Dis vroeg iedereen wat hij wilde drinken, en Marion Bloem deed eindelijk eens een beetje raar, en A. Moonen nam een sprong in de vijver om alle zonden van zich af te wassen, en Midas Dekkers zat in een aanpalend weitje met een grappig biggetje te lachen en armpje te drukken, en Tessa de Loo bracht iedereen limonade en Grunkrenkoe, die iedereen mee naar huis wilde nemen omdat ze de koek plotseling zo lekker vonden – voor de hond – en op het kamp gingen de feestlampjes aan, die Gerrit Krol opgehangen had, en Jan Siebelink stond in een goed gesprek met Hugo Vandennogwattekes, en het bleef lekker warm op het veld, en Jan Wolkers liep in smoking en met een politiepet op tussen de feestvierders te paraderen, 'gewoon lekker een smoking aan je blote reet,' riep hij, en die rare Oek de Jong schreeuwde opgetogen dat hij een nieuwe roman ging schrijven, en Hella Haasse zette, samen met Hannes Meinkema, eindelijk eens koffie, en schuimbekkende Martin Ros (zoals Homerus hem altijd noemde) hield bij wijze van hoge uitzondering zijn mond, en de vier vrolijke B's zongen met de steelband 'Het ritme van de regen,' maar het bleef lekker droog op het landgoed de Wiede Velden, en Jef Geeraerts en Carel Peeters oefenden samen de gekste rock and roll-sprongetjes, en Elly de Waard had een mooie zomerjurk aan, wat Marijke Höweler 'oergezellig' vond, en Peter Zonderland noemde de nieuwe dichtbundel van Tom Lanoye 'een dubbel okeetje!' en Jan Blokker sloot vrede met Bas Heijne, Joost Zwagerman en Stephan Sanders, en Willem Brakman stuiterde op zijn skippybal alle tenten langs, overal mysterieus roepend: 'Jozef, blauw niet meer,' en er kwam een speciaal optreden van *Doeschka and her Hotpants*, en Maarten 't Hart mocht Madonna nadoen en Whitney Houston en Barbra Streisand en Anita Meijer en Edith Piaf en Marlene Dietrich en Pavarotti, en Maarten Biesheuvel had een papiertje gevouwen en rende over het veld, schreeuwend: 'Ik ben niet gek, ik ben een vliegtuig,' en er werd gelachen, heel veel gelachen, maar kinderachtig was het niet, en er werd niet meer gevit noch werden er onderhuidse opmerkingen gemaakt, en zelfs als Gerard Reve, Harry Mulisch en Willem Frederik Hermans elkaar onverhoeds tegenkwamen, staken ze hun duim op en knikten ze elkaar bemoedigend toe want de Oude Drie werden weer volledig geaccepteerd door de rest van de schrijvers. Er heerste vrede op het landgoed de Wiede Velden. De schrijvers waren gelukkig met elkaar. Maar iedereen weet dat je over geluk niet kunt schrijven. Het feest ging echter gezellig nog een paar uur door. Tot er een eind aan kwam, zoals aan alle goede dingen een eind komt. Mammie M.G. Schmidt liep rustig naar het bordes en, spelend dat ze boos was, sprak ze de verzamelde, gelukkige Nederlandse en Vlaamse schrijvers toe.

'Het is genoeg geweest, jongens,' riep ze, 'we gaan naar huis, vort. Pak jullie spullen en stap in de auto's en bussen.'

De schrijvers applaudisseerden en liepen met z'n allen naar hun spullen.

'En nog één ding,' riep Annie M.G. Schmidt hen na: 'Vergeet deze vakantie nooit!'

Hand in hand liepen de schrijvers naar de bussen en de auto's. Zwagerman leidde uit het open dak van Meijsings Snoek de colonne het terrein af. Toeterend en gekscherend slingerend over de weg reed men huiswaarts...

Het landgoed bleef verlaten achter. Op het terrein smeulden de vreugdevuren na. Maar verder herinnerde niets aan de stormachtige gebeurtenissen van de afgelopen dagen. Over de velden zweefde nevel en begeleid door krekelgezang ging langzaam de zon onder. In het schemerviolet leek het kasteel d'Hoeg'n Bierg een sprookjesslot.

In de verte naderde er een stofwolk. Een paar minuten later kwam met een schok een zwarte taxi tot stilstand op het grind voor het bordes. Er stapte een man uit, en de taxi reed weg.

'Ik zou toch zweren dat het hier was,' zei Cees Nooteboom in zichzelf, verbaasd over het schemerachtige terrein kijkend. Hij liep het veld op, om te zien of er in de buurt van de smeulende houtresten leven was.

Voor hij, ten einde raad, aan de voetreis naar Goejanpapperveen wilde beginnen, zag hij in het gras een appel. Een gouden appel.

'*Vjir die bjeste Scriver vån Jølland,*' las Nooteboom in vloeiend Zweeds en hij probeerde de appel in zijn heuptasje te proppen.

A. ALBERTS stopte na de toekenning van de P.C. Hooftprijs met schrijven. Was die ƒ 125.000,– toch nog ergens goed voor.

A.C. BAANTJER, verdacht. Hij is de bestverkochte detective-schrijver van Nederland. Heeft een eigen studio, in navolging van andere Groten, als Toonder en Vandersteen.

BENNO BARNARD, zoon van Guillaume van der Graft. Een van de twee moet dus een pseudoniem hebben. Raad mee! In Nederland is Benno zo onderschat dat hij van gekkigheid maar in België is gaan wonen. De Vlamingen vinden hem al 'een van onze schrijvers.'

F.L. BASTET, de butler van Louis Couperus.

NEL BENSCHOP gelooft in God en probeert Hem naar de kroon te steken door een hogere oplage te halen dan de bijbel.

H.C. TEN BERGE wordt wel de langste schrijver van Nederland genoemd. Hij voegt met gestade tred onleesbare boeken aan zijn fenomenale oeuvre toe. Meest begrijpelijke boek: *Het geheim van een opgewekt humeur*.

MARJAN BERK begon op de dag dat haar vader stierf te schrijven en is sindsdien niet meer gestopt. Op haar werk is het spreekwoord toepasbaar: al is de toorn der critici nog zo fel, de oplagecijfers achterhalen hem wel.

J. BERNLEF leerde met vallen en opstaan schrijven. Merkwaardig genoeg viel hij vaker dan hij opstond.

J.M.A. BIESHEUVEL, eerste Nederlander die met Maarten 't Harts travestie werd geconfronteerd en erin bleef.

MARION BLOEM is geen familie van J.C. Ze vormt het levende bewijs dat je in dit land niet hoeft te kunnen schrijven om boeken te verkopen.

JAN BLOKKER, filmmaker/oppermandarijn. *Telegraaf*-pief die al jarenlang dezelfde reactionaire praat aan *Volkskrant*-lezers voert.

CARLA BOGAARDS, de Tina Turner van de Nederlandse poëzie.

BONEFATIUS, literaire held, omdat hij zich in 754, toen hij vermoord werd, probeerde te verdedigen met een groot religieus sprookjesboek.

WILLEM BRAKMAN las Vestdijk en dacht, dat kan ik ook, maar dan slechter. En meer. Hij doet al jaren verwoede pogingen om in het *Guiness Book of Literary Records* te komen en levert daartoe elke maand een stapel papier in bij zijn uitgever. De maand daarna ligt er weer een nieuwe roman van Brakman in de boekwinkel.

G. BRANDS, liefdesbaby van Schippers en Bernlef.

HUGO BRANDT CORSTIUS is niet de eerste schizofrene psychopaat die door de volgzame goegemeente op zijn woord geloofd wordt.

MARTIN BRIL, zie: Van Weelden, Dirk.

WALTER VAN DEN BROECK correspondeerde met koning Boudewijn die daarop prompt enige jaren later stierf.

PAULINE BROEKEMA, eminent journaliste voor NOS, en NPS.

JEROEN BROUWERS, een der grootste stilisten van ons taalgebied. Onverbiddelijke romanticus: altijd te laat, altijd op de verkeerde plek, altijd onbegrepen, altijd.

MARJA BROUWERS, haar ster rees even snel als hij daalde toen haar debuutroman *Havinck* werd verfilmd.

EMMA BRUNT is de bekendste Prozac-verslaafde van Nederland. Geen echte schrijver, want die zijn aan de drank verslingerd. Henk Spaan dichtte:
Het echtpaar Brunt
Hij de komma, zij de punt.

HERMAN BRUSSELMANS, Jonge Oppergod der Vlaamse Letteren.

BOUDEWIJN BÜCH, ambitieuze televisiepersoonlijkheid met zelfmoordaspiraties. Heeft zijn zelfgekozen dood zó vaak aangekondigd dat hordes Nederlanders van de weeromstuit in reïncarnatie zijn gaan geloven.

JAN CAMPERT, vader van een bekende dichter. Schreef 'Het lied der achttien dooden.' Is zelf ook een doode, voelde dat dus haarfijn aan.

REMCO CAMPERT, zoon van een bekende dichter. Hij heeft al sinds 1953 een kater.

BART CHABOT, de Declder van Den Haag. Hij is vuur en passie en vooral heel veel lawaai. Voormalig popdichter met een sterkere bril dan Martin Ros.

HUGO CLAUS, Vlaams schrijver, van wie iedereen altijd beweert dat hij de Nobelprijs zal winnen, behalve het daarvoor in Zweden aangestelde comité.

MIREILLE COTTENJÉ, Belgisch schrijfster die homofilie geen ziekte vindt. Belangrijkste werken: geen.

JAN CREMER, tragikomische allesneuker met bodyguard. In heel Amerika is geen vrouw van onder de tachtig te vinden die niet minstens eenmaal door Jan rectaal over de knie is gelegd.

TOM VAN DEEL, eminent criticus. Dichter van het universele. Toekomstig Nobelprijswinnaar.

JULES DEELDER, drummer, dichter, drinker.

MIDAS DEKKERS, part-time bioloog en wandelende meningenmachine die vreemd genoeg tot de Nederlandse letteren wordt gerekend (Door wie dan wel? *Door ons*!).

ADRIAAN VAN DIS, in zijn bekende talkshow liet hij het liefst anderen aan het woord. In zijn boeken ook.

HANS DORRESTEIJN cabaretier, liedjeszanger, zwartkijker, dooddoener.

GERRIT-JAN DRÖGE, presentator. De Jacques d'Ancona van onze tijd. Niet brildragend.

JESSICA DURLACHER, eminent critica. Ze haalde haar rijbewijs op het liefdeseiland Saba. Doet het met Leon de Winter (zie aldaar).

G.L. DURLACHER wilde de Librisprijs niet met Matsier delen.

WILLEM ELSSCHOT, Vlaams schrijver wiens brieven werden bezorgd door de wel zeer jeugdige postbode Vic van der Reijt.

ELIZABETH EYBERS, dichteres wier bundels vol met taalfouten staan. Alles wat ze verkeerd kan doen, doet ze ook verkeerd.

KEES FENS, eminent criticus. Hij schijnt iedere maandag en vrijdag een column in *de Volkskrant* vol te schrijven over boeken die niemand kent, die niemand leest, die niemand kan betalen en die niemand wil hebben. Eminent criticus.

LOUIS FERRON, na het winnen van de AKO Literatuurprijs in wanneer was het ook alweer? voor het prachtboek *Kom hoe heette het ook alweer?* kocht hij een nieuw spijkerpak. Het vorige dateerde van voor de Tweede Wereldoorlog. Rookt shag.

KESTER FRERIKS ontwikkelde zich in korte tijd tot een der grote afbraakterreinen in het Nederlandse literaire landschap. Hij maakt er een gewoonte van in café De Zwart nietsvermoedende eminente, hardwerkende en goedbedoelende critici op hun gezicht te slaan. Ook heeft hij ruzie met zo ongeveer elke levende Nederlandse schrijver, zelfs met Geerten Meijsing. Freriks is van arren moede maar gaan zwelgen in zijn miskend zijn. Zijn favoriete zin is: 'Het werd me vreemd te moede.'

JEF GEERAERTS, de Henry Miller van de Benelux. Behalve heel veel heel dikke negerinnen neuken is het onbekend wat hij precies in de Kongo deed.

IDA GERHARDT, Jeroen Brouwers noemde haar ooit De Markiezin van de Nederlandse Letteren.

EVA GERLACH, Keizerin van de Nederlandse poëzie. Gemiddelde oplage: 75 exx.

JAAP GOEDEGEBUURE eminent criticus.

THEO VAN GOGH, eminent anti-semiet, werkt aan de verfilming van dit boek.

HERMINE DE GRAAFF was ooit populair, maar is hedentendage thans geheel overschaduwd door die andere Hermine (La Landvreugd).

HELLA S. HAASSE, jeugdfoto's van haar hebben menige, gevoelige jongeling in verwarring en verrukking gebracht. Het kàn dus wel, Nederlandse schrijfsters. Bekendste nooitgelezen boek: *Oeroeg*.

FRITZI HARMSEN TER BEEK is een opmerkelijk schrijfster, van wie wij eigenlijk opvallend weinig weten.

MAARTEN 'T HART, bioloog, organist, interviewer, lezer, muziekrecensent, essayist, romancier, dichter, schoonheidsspecialist; een ware femina universalis.

JAN DE HARTOG, in het Engels schrijvende zeeheld. Bekend van de uitdrukking: ruwe bolster, Jan de Hartog.

WIM HAZEU schreef biografieën over Achterberg en Slauerhoff die dikker zijn dan hun Verzamelde Werken.

HEERE HEERESMA, succesvol porno-auteur van Uitgeverij Novella. Hij schreef het boek *Han de Wit gaat in ontwikkelingshulp* dat door iedereen wordt gezien als een toonbeeld van humor, maar waarvan ons de lol ontgaat.

A.F.TH. VAN DER HEIJDEN schrijft aan een trilogie die nu al meer dan drie delen omvat. Wordt wel de Nederlandse Proust genoemd (spreek uit: 'Proost'). Vooral zijn roman *Advocaat van de hanen* is bijzonder dik. Van der Heijden is meestal voor commentaar aan of onder de bar van café De Zwart te vinden.

BAS HEIJNE, het kutlikkertje van Oscar Wilde.

ALBERT HELMAN, de Morriën van de overzeese gebiedsdelen.

ERNEST HEMINGWAY, Amerikaans zelfmoordenaar. Hij hield meer van stierevechten dan van zijn vader.

WILLEM FREDERIK HERMANS riep zich uit tot grootste schrijver van de Nederlanden en niemand protesteerde.

JUDITH HERZBERG, *Our Woman* in Tel Aviv.

HOMERUS wordt door het blinde plebs nog steeds gezien als de eerste schrijver ooit.

ED. HOORNIK was 's Neerlands grootste mandarijn. Vader van twee dochters die een verhouding kregen met de Siamese tweeling Bernlefschippers.

F.B. HOTZ, schrijver. Allemaal lezen!

MARIJKE HÖWELER schreef ooit uit verveling een boek en doet dat nog steeds weleens. Haar werk is pretentieloos en verkoopt dus goed.

MICK JAGGER lijkt op de zanger van de Rolling Stones.

OEK DE JONG was na het succes van *Cirkel in het gras* zo ontdaan dat hij al zijn talent verloor.

ATTE JONGSTRA, briljaent (waarin is alleen niet duidelijk). Schrijft boeken over groente, moord en het leven zelf (dat is tenminste het vermoeden). Zijn geboorte was de meest schokkende gebeurtenis in Friesland sinds 754.

THEO KARS, vervalser wiens face-lift meer ophef heeft veroorzaakt dan al zijn boeken bij elkaar.

MENSJE VAN KEULEN, Maarten 't Hartsvriendin. Zat ooit in de redactie van *Propria Cures*. Gerard Reve dacht dat *Mensje van Keulen* de titel van een boek van Bleekers Zomer was.

YVONNE KEULS, de Moeder Theresa van de Nederlandse lektuur.

GERRIT KOMRIJ, Portugese kankeraar. Belangrijkste boek: *Horen, zien en zwijgen*, dat helaas een nogal kinderachtig lexicon bevat.

KEES VAN KOOTEN, met boeken als *Hedonia* bewees hij een onderschat stilist te zijn, maar helaas publiceerde hij ook modernistische geldklopboekjes met vaak ongeïnspireerd en zoutloos proza.

RUTGER KOPLAND, Gronings psycholoog.

ANTON KORTEWEG, dichter/ambtenaar die zijn geld verdient met literair-necrofiel fetisjisme: het verzamelen van dingetjes van dode schrijvers op kosten van de trouwe ploeterende belastingbetaler.

ALFRED KOSSMAN heeft zich er ooit over verbaasd waar de Grote Drie toch hun bijnaam aan verdienen. Zelf schrijft hij al zeker veertig jaar en in al die tijd is er niemand op het idee gekomen hem de Grote Nul te noemen.

RUDY KOUSBROEK, wil voor hij doodgaat eerst nog even met de helft van de mensheid naar bed. Essayist en mannelijke Annie M.G. Schmidt. Minst leuke boeken: *Het rijk van Jabeer* (1984) en *De logologische ruimte* (ook 1984).

GERRIT KOUWENAAR, Neerlands officiële Nobelprijskandidaat. Vijftiger die tegen de zeventig loopt. Snor.

TIM KRABBÉ, oom van Martijn, heeft een schilderende broer en nogal wilde wenkbrauwen.

GERRIT KROL weet op fascinerende wijze (volgens Chriet Titulaer dankzij de ingebouwde micro-electronica) de Alfa- en de Bêtawetenschap aan elkaar te koppelen. Zijn bekendste boeken zijn altijd in de bibliotheek beschikbaar.

YVONNE KROONENBERG, kent de Nederlandse man beter dan zijn echtgenote.

DIRKJE KUIK was vroeger William D. Kuik en legde in die hoedanigheid de grondvesten voor de Utrechtse School. Ging een stapje verder dan Maarten 't Hart. Ze is onsterfelijk gemaakt door onze regels:
Ik zit mij voor het vensterglas
Onnoemlijk te vervelen
Ik wou dat ik Dirkje Kuik was
Dan kon ik samen spelen.

WIEL KUSTERS, dichtende vlaai, ziet eruit als een student hardrock die van wiskunde houdt.

HUBERT LAMPO, pleitbezorger, uitvinder, stimulator en enige navolger van de meest overbodige stroming uit het Vlaamse literatuurgereutel: het magisch-realisme. Geef ons dan in Jezusnaam Johan Daisne maar.

TOM LANOYE, Jonge Mopperpot der Vlaamse Letteren. In de GAYSCENE wordt nog weleens GEFLUISTERD dat hij de EX van PAUL DE LEEUW is.

ARTHUR LAVA wist met zijn maximale geschreeuw maximale aandacht te krijgen en is thans maximaal vergeten.

TESSA DE LOO, succesvolste Nederlandse schrijver ooit. De oplagecijfers van haar roman *De tweeling* worden alleen overtroffen door de *Libelle* en de *Margriet*, maar die zijn dan ook een stuk dunner. Het wachten, is op de vervolgdelen die naar alle waarschijnlijkheid *De tweeling op zomerkamp* en *De tweeling maakt het bont* zullen gaan heten. Joost Zwagerman noemde haar ooit, heel profetisch eigenlijk: Tesso de Laa.

JOS VAN MAANEN-PIETERS, zie Miep van 't Sant.

NICOLAAS MATSIER, herrees uit een literaire schijndood om de Zoetemelk van de Nederlandse literatuur te worden.

VONNE VAN DER MEER, schrijfster van onder andere boeken.

DOESCHKA MEIJSING, eminent critica. Zij schreef in het verleden ook boeken. Zal net als Geerten altijd in de schaduw staan van haar thrillerschrijvende broer.

GEERTEN MEIJSING stelde zijn leven in dienst van de literatuur en van het grote geld. Hij viel zijn collegae hard af en aan in het roddelboek *De grachtengordel*, waarin hij echter niemand bij name noemde.

HANNES MEINKEMA is een naam in de literatuur.

WILLEM MELCHIOR, de officieuze opvolger van Reve (Gerard). Hij schrijft over homo-erotische, sado-massochistische, al dan niet gefantaseerde herdersuurtjes.

ANJA MEULENBELT, op het succes van *De schaamte voorbij* heeft ze jaren kunnen teren, maar nu moet ze toch echt weer eens aan de slag.

NEELTJE MARIA MIN publiceert weinig. Haar moeder is haar naam vergeten, maar het publiek gelukkig niet.

A. MOONEN, (zijn voornaam luidt eigenlijk: Hor) hij heeft een grotere reputatie dan talent. Het zielige broertje van Reve.

MARGRIET DE MOOR, schrijfster die in redelijk korte tijd een redelijke bekendheid heeft gehaald en redelijke verkoopcijfers met redelijk strontvervelende boeken.

MARCELLO JUAN JEAN-PIERRE ORLANDO PHILIPPE CLAUDE FRANCESCO GIOVANNI BATTISTA CYPRIANO FABRIZIO POMPONIO GASPACHO ALFONSO LEONARDO MÖRING, begenadigd schrijver die volkomen onterecht van plagiaat werd beschuldigd.

ADRIAAN MORRIËN, lieve oude man die door *de Volkskrant* voortdurend onheus bejegend wordt. Niemand weet waarom.

HARRY MULISCH wordt wel de Nederlandse Goethe genoemd (waarschijnlijk vanwege hetzelfde geboortejaar). Nimmer gingen schrijftalent en megalomanie zo prachtig in elkaar over. Heeft een zoon die pijp rookt (zoals de oude zongen, pijpen de jongen). Hij noemt Goethe de andere Duitse Mulisch.

CHARLOTTE MUTSAERS, het zingend hart van de vaderlandse letteren.

FRIEDRICH NIETZSCHE neukte met een hoer en kreeg syfilis. Streberig typje dat onbewust de opmaat voor het fascisme componeerde. Antiantisemiet. Zo zie je maar dat het raar kan lopen.

ROB DE NIJS, eminent criticus.

LEONHARD NOLENS, grootste huilebalk van Vlaanderen. Hij schrijft bouquetreeks op rijm. Toon Hermans voor gevorderden.

CEES NOOTEBOOM, Haagse Globetrotter zonder basketbal. Columbus van de twintigste eeuw. Hij reist binnenkort voor *Avenue* naar de maan, maar was helaas niet voor commentaar bereikbaar.

NELLEKE NOORDERVLIET, voormalig gemeenteraadslid van de Partij van de Arbeid, dat thans haar politieke idealen aan de kant heeft gezet om 'nutteloze' literatuur te vervaardigen.

HUUB OOSTERHUIS, directeur van een zaaltje aan de Keizersgracht, ex-priester, dichter. Als het hem tegen zit, vloekt hij alle duvels uit de hel.

WILLLEM JAN OTTEN, dichter, romancier, essayist, euthenasiast en toekomstig prijzenindewachtsleper.

KEES OUWENS, Ouwe Kaas voor vrienden die hij niet heeft. Schrijver van prachtige gedichten en onbegrijpelijke romans.

DIANA OZON, de Carla Bogaards van de Nederlandse literatuur.

DRS. P schopt het maar niet tot dr. P.

CONNIE PALMEN, voorlopig 's Neerlands bestverkopende debutant ooit. Aanvankelijk weigerden talloze uitgevers het manuscript van *De Wetten*.

CAREL PEETERS, eminent criticus.

FRANS POINTL, kip die over de soep vloog. Jarenlang kreeg hij niet de aandacht die hij verdiende. Tegenwoordig komt hij op elk feestje binnen met de woorden: 'Ik blijf maar even, ik ga meteen weer weg. Ik hou helemaal niet van dit soort bijeenkomsten. God, wat een bekende mensen allemaal, daar hoor ik echt niet bij. Wat doe ik hier?' Hij herhaalt dit soort frasen doorgaans tot de laatste glazen zijn gespoeld.

SYBREN POLET, spookschrijver. Een van die literaire ridders van wie iedereen de veldslagen kan noemen, maar die geen enkele invloed op de loop der literatuur hebben gehad.

HUGO RAES, Belg. Hij schreef *De vadsige koningen*. Zijn familie was dolenthousiast.

JEAN PIERRE RAWIE, succesdichter. De voortlevende fecaliën van J.C. Bloem.

VIC VAN DER REIJT, eminent uitgever. Als er iemand kan schateren om de grappen van Vic van der Reijt, dan is het Vic van der Reijt.

GERARD REVE had het marketing-technisch aardige idee om openlijk te verklaren dat zijn publiek uit voornamelijk huisvrouwen bestaat. Iedereen geloofde hem nog ook. Als hij voor Gods troon ter verantwoording wordt geroepen, zal blijken of hij gelijk had. Reve schrijft een aardig mopje mee. *Le style est l'homo.*

KAREL VAN HET REVE, geleerde broer van.

ASTRID ROEMER was als raadslid van Groen Links minder succesvol dan als schrijfster.

MARTIN ROS bezorgt literatuur in Nederland het stigma dat je leip moet zijn om van boeken te houden. Zet hem achter een microfoon, geef hem een titel en hij krijgt een hartaanval van enthousiasme.

THOMAS ROSENBOOM, koddig mannetje. Ziet eruit als de kruising tussen een corpsstudent en een van diens professoren. Kreeg met zijn roman *Gewassen vlees* uiteindelijk het succes dat hij verdiende.

STEPHAN SANDERS, politiek correcte navolger van Frans Kellendonk. Bezit helaas niet diens talent.

MIEP VAN 'T SANT schrijft oninteressante boeken over oninteressante mensen met oninteressante emoties die zich afspelen in oninteressante delen van ons land. Streekromans, kortom.

BERT SCHIERBEEK nimmer werd een boek zo goed verkocht en zo slecht gelezen als *Het Boek ik* (1951).

K. SCHIPPERS, deed als dichter experimenten die vóór zijn geboorte al tientallen malen waren uitgevoerd, maar erger nog: er groeit een snor uit zijn oren.

ANNIE M.G. SCHMIDT, de enige echte koningin van ons land. Overleed in mei 1995.

ROB SCHOUTEN, eminent kwakzelver.

GENERAAL SCHWARTZKOPF, eminent strategicus. Eisenhower van onze tijd. Redder van het Vrije Westen.

JAN SIEBELINK, leraar Frans.

HENK SPAAN, volgens W.F. Hermans: de grootste dichter van ons taalgebied.

F. SPRINGER, eminent diplomaat. Een van de weinige schrijvers wier buitenlandse reisjes niet door het Fonds voor de Letteren gefinancierd worden.

KEES STIP, Maastrichtse dichter die elke dag in de trein naar zijn werk als administrateur van de kolenmijn Laura in Eygelshoven twee gedichten schreef, het eerste op de heenweg en het tweede op de terugweg. O nee, dat was Pierre Kemp.

RENÉ STOUTE, ook wel: stoute Renée. 's Lands een na bekendste travestietschrijver. Vroeger lobbyist voor een nog vrijer drugsbeleid. Onbegrepen idealist.

P.F. THOMÉSE debuteerde met de *lucky punch Zuidland*, een verhalenbundel die hem de AKO Literatuurprijs opleverde en een enorm *writer's block*. Schijnt nog steeds een andere uitgever te zoeken.

MARTEN TOONDER, striptekenaar die tot de literatuur wordt gerekend omdat hij weleens een neologismetje heeft verzonnen.

JOS VANDELOO, het gevaar.

HUGO VANDENNOGWATTEKES, briljant stilist die nou eens geen boeken schrijft over nonkels die goesting hebben naar Trappist of andere Vlaamse specialiteiten.

ADRIAAN VENEMA, nobele man. De Simon Wiesenthal van de Nederlandse literatuur. Woont met Paul McCartney, Elvis Presley en Adolf Hitler in Peru of Paraguay.

ELMA VERHAREN, schrijfster. Boeiend.

SIMON VINKENOOG, lieve man, daar niet van. Rookt hennep. Slaat vage taal uit. Hippie.

EDDY VAN VLIET, Vlaams jurist en dichter (sterker nog: poëet).

JACQ VOGELAAR, pleitbezorger van het onbegrijpelijke boek. Rijdt eens per jaar met een motormaaier door de plaatselijke bibliotheek, waarna hij de snippers met een prittstift op vellen papier plakt en deze inlevert bij zijn uitgever.

FRIDA VOGELS schreef drie boeken. Kreeg één prijs. Wil niet in de publiciteit. Sssst.

J.J. VOSKUIL schreef één boek, de dikste Nederlandstalige roman (1207 harde pagina's). Onderzoek heeft uitgewezen dat van elk verkocht exemplaar gemiddeld slechts een krappe 217 bladzijden zijn gelezen.

THEUN DE VRIES (1907), schrijver. Zijn boeken zijn vast wel in iedere goed gesorteerde boekenwinkel te vinden.

ELLY DE WAARD, achterdochtige dichter, zoals De Elly is...

HANS HOMERUS WARREN, eminent Zeeuws criticus. Favoriete dagsluiting: 'Dag mensen, dag dieren, dag bloemen, dag boeken.'

DIRK VAN WEELDEN, zie: Bril, Martin.

LÉVI WEEMOEDT kan goed rijmen.

JAN WILLEM VAN DE WETERING, thrillerschrijver die Nederland niet nodig heeft.

IVO DE WIJS, voormalig cabaretier. Tegenwoordig dichter, radio-activist en milieu-presentator, fulltime moralist.

WILLEM WILMINK, liedjesschrijver.

LEON DE WINTER neemt als hij op reis gaat zijn Jaguar en een oprijlaan mee.

IVAN WOLFFERS, arts die zulke goedverkopende medicijngidsen schrijft, dat hij van zijn uitgever af en toe ook een onverkoopbaar en heus literair werkje mag volbaggeren.

JAN WOLKERS liep ooit de honderd meter in 10.3 seconden. Inmiddels haalt hij dat natuurlijk al lang niet meer en is hij blij met een nipte 10.8.

PETER ZONDERLAND, ook wel: Peter Zonderinspiratie. Peter Metveelsteunvanhetfondsvoordeletteren. Beter Zonder.

JOOST ZWAGERMAN was jarenlang de *jeune premier* van de Nederlandse letteren. Onlangs verklaarde hij volwassen te zijn. Hij wordt wel de Kroonprins der vaderlandse Letteren genoemd, maar niemand weet wie de Koning is. Eminent pornograaf.